El retorno de la economía de la depresión

de la depresión

y la crisis actual

Letras de Crítica

Paul Krugman

El retorno de la economía de la depresión

de la depresión

y la crisis actual

Crítica

Barcelona

Primera edición: enero de 2009
Segunda edición: febrero de 2009
Tercera edición: febrero de 2009
Cuarta edición: marzo de 2009
Quinta edición: abril de 2009

Título original:
*The Return of Depression Economics
and the Crisis of 2008*
W.W. Norton & Co., Nueva York-Londres

Traducción castellana de JORDI PASCUAL Y FERRAN ESTEVE

Diseño de la cubierta: Jaime Fernández
Realización: Ātona, SL

© 1999, 2009 by Paul Krugman
© 2000 y 2009 de la traducción castellana para España y América:
CRÍTICA, S. L., Diagonal, 662-664, 08034 Barcelona
editorial@ed-critica.es
www.ed-critica.es

ISBN: 978-84-7423-857-0
Depósito legal: B. 19.980-2009
Impreso en España
2009. Book-Print (Barcelona)

Introducción

A POCO QUE REFLEXIONEN SOBRE EL TEMA, *muchos economistas consideran la Gran Depresión de los años treinta como una tragedia gratuita e innecesaria. Sólo con que Herbert Hoover no hubiera intentado equilibrar el presupuesto ante una depresión económica; sólo con que la Reserva Federal no hubiera defendido el patrón oro a costa de la economía interna; sólo con que los funcionarios hubiesen suministrado liquidez a los bancos amenazados, calmando de este modo el pánico bancario que se produjo en 1930-1931; entonces, la crisis de la Bolsa en 1929 sólo habría ocasionado una recesión corriente, que se habría olvidado pronto. Y como los economistas y los responsables de la política han aprendido la lección —ningún secretario del Tesoro moderno repetiría la famosa recomendación de Andrew Mellon, de «liquidar el trabajo, liquidar las existencias, liquidar a los granjeros, liquidar la propiedad inmobiliaria... eliminar la podredumbre del sistema»—, nunca volverá a suceder algo semejante a la Gran Depresión.*

¿O sí? A finales de los años noventa, un grupo de economías asiáticas —economías que, sin embargo, generaban alrededor de una cuarta parte de la producción mundial y que contaban con una población cuya cifra se situaba en torno a los 600 y 700 millones de personas— experimentaron una depresión económica que mostraba una extraña semejanza con la Gran Depresión. Como ésta, la crisis irrumpió repentinamente en un cielo de color azul claro, mientras

los expertos predecían que el boom *seguiría aun cuando la depresión estaba ganando impulso; como en los años treinta, la medicina económica convencional se reveló ineficaz, tal vez incluso contraproducente. Que algo como aquello pudiera suceder en el mundo moderno debería haber producido escalofríos a cualquiera con un mínimo sentido de la historia.*

Y no miento si digo que yo sí sentí ese escalofrío. Escribí la primera edición de este libro como respuesta a la crisis asiática de los años noventa. Allá donde algunos sostenían que la crisis era un fenómeno específicamente asiático, yo veía un funesto presagio para todos nosotros, una advertencia de que el mundo no se había librado de la posibilidad de una depresión económica. Es triste decirlo, pero tenía motivos para estar preocupado: en el momento de enviar a imprenta esta nueva edición, una buena parte del mundo, incluido Estados Unidos, se enfrenta a una crisis económica y financiera que se asemeja a la Gran Depresión mucho más que los problemas que se vivieron en Asia en los años noventa.

El tipo de dificultades económicas que Asia experimentó hace una década, y que el mundo está padeciendo ahora, es precisamente la clase de suceso que creíamos haber aprendido a evitar. En los viejos malos tiempos, las economías avanzadas con gobiernos estables —como Gran Bretaña en los años veinte— podían no haber tenido respuesta ante períodos prolongados de estancamiento y deflación; pero entre John Maynard Keynes y Milton Friedman, pensábamos que sabíamos lo suficiente como para que aquello no sucediera de nuevo. Los países más pequeños —como Austria en 1931— pudieron haber estado en otro tiempo a merced de corrientes financieras, incapaces de controlar su destino económico, pero hoy se espera de los banqueros modernos y de los funcionarios gubernamentales (por no hablar del Fondo Monetario Internacional) que preparen rápidamente los paquetes de medidas de rescate para contener las crisis antes de que se propaguen. Los gobiernos —como el de Estados Unidos en 1930-1931— tal vez asistieron impotentes en otro tiempo al hundimiento de los sistemas financieros; en el mundo moderno, sin embargo, el seguro de depósitos y, en principio, la predisposición de la Reserva Federal a inyectar liquidez rápidamente a las instituciones amenazadas deberían evitar tales perspectivas. Nadie en sus cabales creía que hubieran quedado atrás los años de inquietud económica. No obstante, si de algo estábamos seguros era de que, cualesquiera que fueran los problemas a los que tuviéramos que hacer frente en el futuro, poco o nada se parecerían a los que se dieron en los años veinte y treinta.

Aun así, deberíamos habernos dado cuenta, hace diez años, de que habíamos perdido la confianza. Japón estuvo atrapado, durante la mayor parte de los años noventa, en una trampa económica con la que Keynes y sus contemporáneos estaban totalmente familiarizados. Las economías más pequeñas de Asia, por su parte, pasaron de la euforia al desastre prácticamente de la noche a la mañana, y la historia de ese desastre parece inspirarse directamente en una historia financiera de los años treinta.

A la sazón, la interpretación que hice de la situación fue la siguiente: parecía como si las bacterias que solían provocar plagas mortales, y que creíamos que la medicina moderna había derrotado hacía mucho tiempo, hubieran reaparecido bajo una forma resistente a todos los antibióticos convencionales. Esto es lo que escribí en la introducción a la primera edición: «De hecho, hasta ahora sólo ha caído un número limitado de personas, víctima de las tensiones que vuelven a ser incurables; pero incluso aquellos de nosotros que hemos sido afortunados hasta el presente seríamos tontos si no buscáramos, costase lo que costase, nuevos remedios, nuevos regímenes profilácticos, para no ser las próximas víctimas».

Bien: fuimos tontos, y ahora la plaga se nos ha venido encima.

Gran parte de esta nueva edición está dedicada a la crisis asiática de los años noventa, que ha acabado siendo una especie de ensayo general de la crisis global que nos azota en la actualidad. No obstante, he añadido mucho material nuevo, en mi empeño por explicar cómo ha sido posible que Estados Unidos se encuentre en la misma situación que Japón hace una década, e Islandia en la misma que Tailandia, y por qué los países que sufrieron la crisis de los años noventa se han visto de nuevo, para su horror, al borde del abismo.

Sobre este libro

Permítaseme admitir de entrada que este libro es, en el fondo, un tratado analítico. No se ocupa tanto de qué sucedió cuanto de por qué sucedió; lo que resulta importante comprender es, a mi entender, cómo pudo suceder esa catástrofe, cómo pueden recuperarse las víctimas y cómo podemos evitar que se repita. Esto significa que el objetivo último es, como dicen en las escuelas de negocios, elaborar la teoría del caso: establecer una metodología para reflexionar sobre la cuestión.

Al hacerlo, sin embargo, he intentado evitar una exposición teórica árida. No hay ecuaciones, ni gráficos inescrutables, ni (así lo espero) una jerga incomprensible. Como economista con buena reputación, soy perfectamente capaz de escribir cosas que nadie pueda leer. En efecto, los escritos ilegibles —los míos y los de los demás— desempeñaron un papel clave para ayudarme a llegar a los puntos de vista que aquí se presentan. Pero lo que el mundo necesita ahora es acción informada y, para llegar a esa clase de acción, hay que presentar las ideas de un modo accesible al público interesado en general, no solamente a los que tienen un doctorado en economía. Sea como fuere, las ecuaciones y los gráficos de la economía formal no son, a menudo, más que el andamiaje que se utiliza para ayudar a construir un edificio intelectual. Una vez que ese edificio está más o menos en pie, podemos retirar ese andamiaje y recurrir solamente al lenguaje llano.

También sucede que, si bien el fin último es, en este caso, analítico, buena parte de lo escrito precisa de una estructura narrativa. Eso es así, en parte, porque el hilo de la historia —la secuencia en la que se produjeron los acontecimientos— es a menudo una pista importante para dilucidar qué teoría del caso tiene sentido. (Por ejemplo, cualquier opinión «fundamentalista» sobre la crisis económica —es decir, una opinión que sostenga que las economías reciben simplemente el castigo que se merecen— debe luchar a brazo partido con una coincidencia tan curiosa como que un gran número de economías aparentemente dispares tropezaron con dificultades en el espacio de unos pocos meses.) Pero también soy cons-

ciente de que el hilo narrativo brinda un contexto necesario para cualquier intento de explicación y de que muchas personas no han estado siguiendo obsesivamente el desarrollo del drama durante los últimos dieciocho meses. No todos recuerdan lo que el primer ministro Mahathir dijo en Kuala Lumpur en agosto de 1997 y relacionan esas palabras con lo que Donald Tsang acabó haciendo en Hong Kong un año más tarde. Pues bien, este libro refrescará su memoria.

Un último apunte sobre el estilo intelectual: una tentación que a menudo asalta a quienes escriben de economía, especialmente cuando el tema es tan grave, es la tendencia a expresarse con un lenguaje excesivamente solemne. No es que los acontecimientos que nos interesan no sean importantes; en algunos casos, son cuestiones de vida o muerte. Demasiado a menudo, sin embargo, las lumbreras se imaginan que, como el asunto es serio, hay que plantearlo con solemnidad; que, como son grandes temas, hay que tratarlos con grandes palabras; la informalidad o la ligereza están fuera de lugar. No obstante, resulta que, para dar un sentido a los fenómenos nuevos y desconocidos, uno debe estar preparado para jugar con las ideas. Y utilizo deliberadamente la palabra «jugar»: las personas graves, sin un ápice de inventiva, casi nunca ofrecen visiones frescas, ni en economía, ni en ninguna otra materia. Supongamos que yo les digo que «Japón padece un desajuste fundamental, porque su modelo de crecimiento dirigido por el Estado conduce a una serie de rigideces estructurales». Bien, el resultado de mis palabras será el siguiente: o no he dicho nada en absoluto o, a lo sumo, he transmitido la sensación de que los problemas son muy complejos y de que no existen respuestas fáciles, una sensación que puede ser completamente errónea. Supongamos, por otro lado, que ilustro los problemas de Japón con el divertido cuento de los altibajos de la cooperativa de canguros (que, de hecho, aparecerá varias veces en este libro). Puede parecer estúpido, puede ser que la ligereza ofenda incluso su susceptibilidad, pero la fantasía obedece a un propósito: nos sitúa en un canal diferente, y nos sugiere, en este caso, que puede efectivamente haber una salida sorprendentemente fácil para el problema de Japón, por lo menos en parte. Así, no esperen un libro grave y solemne: los objetivos serán tan serios como puedan, pero la exposición procurará ser tan ligera como requiere el propio tema.

Y con esto, comencemos nuestro viaje, empezando con una visión del mundo tal y como se presentaba hace sólo algunos años.

1

«El problema principal se ha resuelto»

EN 2003, ROBERT LUCAS, CATEDRÁTICO de la Universidad de Chicago y galardonado en 1995 con el premio Nobel de Economía, pronunció el discurso presidencial durante la convención anual de la Asociación Americana de Economía. Después de explicar que la macroeconomía había surgido como respuesta a la Gran Depresión, declaró que había llegado la hora de que aquella disciplina siguiera avanzando: «a efectos prácticos, el problema principal de la depresión-prevención —declaró— se ha resuelto».

Lucas no afirmaba que el ciclo económico, la alternancia irregular de recesiones y expansiones que hace al menos un siglo y medio que nos acompaña, hubiera acabado. Sí que sostenía, en cambio, que ese ciclo estaba bajo control, hasta el punto de que los beneficios de seguir domándolo serían triviales: los beneficios que tendría en el bienestar de la población suavizar las fluctuaciones de la economía, dijo, serían triviales. Había llegado el momento de centrarse en cuestiones como el crecimiento económico a largo plazo.

Lucas no era el único que aseguraba que el problema de la depresión-prevención estaba resuelto. Un año más tarde, Ben Bernanke, un antiguo catedrático de Princeton que había pasado a formar parte de la dirección de la Reserva Federal, de la cual no tardaría en ser nombrado presidente, pronunció un discurso de un optimismo sensacional titulado «La gran moderación» en el que, como ya había hecho Lucas, sostenía que la política macroeconómica moderna había resuelto el problema del ciclo económico (o, más concretamente, había reducido ese problema tanto que ahora era más una molestia que un problema prioritario).

Si echamos la vista atrás unos pocos años, y teniendo en cuenta además que gran parte del mundo está sumido en una crisis económica y financiera que recuerda demasiado a la de los años treinta, estas palabras optimistas parecen de una petulancia extraordinaria. Lo más curioso de ese optimismo era que, durante los años noventa del pasado siglo, varios países, y entre ellos Japón, la segunda economía mundial en importancia, asistieron a la reaparición de unos problemas económicos que recordaban a los de los años de la Gran Depresión.

Sin embargo, en los primeros años de esa década, este tipo de problemas típicos de una recesión no habían llegado todavía a Estados Unidos, al tiempo que la inflación, el azote de los años setenta, parecía, por fin, controlada. Además, las noticias económicas relativamente tranquilizadoras se enmarcaban en un contexto político que alentaba el optimismo: el mundo parecía un lugar más favorable para las economías de mercado de lo que lo había sido en los últimos noventa años.

CAPITALISMO TRIUNFANTE

Éste es un libro sobre economía; pero la economía inevitablemente tiene lugar en un contexto político, y uno no puede entender el mundo tal y como se presentaba hace unos años sin tener en cuenta el hecho político fundamental de los años noventa: el hundimiento del socialismo, no sólo como ideología dominante, sino como idea con capacidad de mover las mentes de los hombres.

Aquel hundimiento comenzó, curiosamente, en China. Sin embargo, es increíble constatar que Deng Xiaoping lanzó a su nación a lo que resultó ser la vía al capitalismo en 1978, sólo tres años después de la victoria comunista en Vietnam y sólo dos años después de la derrota interna de los maoístas radicales que querían reanudar la revolución cultural. Probablemente Deng no era del todo consciente de cuán lejos les llevaría aquella ruta; ciertamente, al resto del mundo le costó mucho tiempo comprender que mil millones de personas habían abandonado silenciosamente el marxismo. En efecto, en una época tan tardía como principios de los años noventa, la transformación de China no había logrado elevar el nivel de vida de la mayoría de su población; en los *best-sellers* de la época, la economía mundial era el escenario de una lucha «frontal» entre Europa, Estados Unidos y Japón (China, a lo sumo, era un actor secundario, tal vez dentro del bloque emergente del yen).

Sin embargo, todos se percataron de que algo había cambiado, y ese «algo» era el hundimiento de la Unión Soviética.

Nadie comprende realmente qué le pasó al régimen soviético. Con la ventaja que ofrece la perspectiva, hoy vemos toda aquella estructura como una especie de aventura destartalada, condenada al hundimiento final. Con todo, era un régimen que había mantenido su dominio durante la guerra civil y la hambruna; que había sido capaz de derrotar, a pesar de estar claramente en inferioridad, a los nazis; que era capaz de movilizar los recursos industriales y científicos para contender con la superioridad nuclear de Estados Unidos. Cómo pudo haber terminado tan de repente, no con un estallido sino con un quejido, debería ser uno de los mayores enigmas de la economía política. Puede que fuera simplemente una cuestión de tiempo: parece que el fervor revolucionario, sobre todo la voluntad de asesinar a sus contrarios en nombre del bien mayor, no puede durar más allá de un par de generaciones. O puede que el régimen fuera gradualmente socavado por el rechazo tenaz del capitalismo para exhibir el grado adecuado de decadencia: yo tengo mi propia teoría, que no se basa en ninguna evidencia, según la cual el ascenso de las economías capitalistas de Asia desmoralizó, de un modo sutil pero profundo, al régimen soviético, haciendo cada vez menos plausible su pretensión de tener la historia de su lado. Una guerra extenuante e imposible de ganar en Afganistán favoreció ciertamente el proceso, como lo hizo la incapacidad manifiesta de la industria soviética para igualar el desarrollo armamentístico de Ronald Reagan. Cualesquiera que fueran las razones, en 1989 el imperio soviético en la Europa del Este se descompuso de repente, y lo mismo hizo en 1991 la propia Unión Soviética.

Los efectos de este desmembramiento se sintieron en todo el mundo, de modos evidentes y sutiles. Y todos los efectos fueron favorables al dominio político e ideológico del capitalismo. Ante todo, por supuesto, varios cientos de millones de personas que habían vivido bajo regímenes marxistas se convirtieron de repente en ciudadanos de estados dispuestos a conceder una oportunidad a los mercados. Sin embargo, es un tanto sorprendente que esto haya resultado ser, en cierto modo, la consecuencia menos importante del hundimiento soviético. Al contrario de lo que muchas personas esperaban, las «economías de transición» de la Europa oriental no se convirtieron rápidamente en una fuerza importante en el mercado mundial, o en uno de los destinos favoritos de la inversión extranjera. Por el contrario, en su mayor parte tuvieron muchas dificultades a la hora de realizar la transición: Alemania Oriental, por ejemplo, se ha convertido en el equivalente alemán del Mezzogiorno italiano, una región permanentemente deprimida y que es una fuente continua de preocupación social y fiscal. Sólo ahora, casi dos décadas después de la caída del comunismo, un puñado de países —Polonia, Estonia, la República Checa— comienzan a vivir experiencias exitosas. Y la propia Rusia se ha convertido, sorprendentemente, en una poderosa causa de inestabilidad financiera para el resto del mundo. Pero dejemos esa historia para el capítulo 6.

Otro efecto directo del hundimiento del régimen soviético fue que otros gobiernos que se habían apoyado en su generosidad tenían ahora que valerse por sí mismos. Dado que algunos de estos estados habían sido idealizados e idolatrados por los adversarios del capitalismo, su repentina pobreza —y la correspondiente revelación de su dependencia anterior— contribuyeron a socavar la legitimidad de todos esos movimientos. Cuando Cuba parecía una nación heroica, que se mantenía a sí misma con el puño cerrado frente a Estados Unidos, era un símbolo atractivo para los revolucionarios de toda Latinoamérica; por supuesto, mucho más atractivo que los grises burócratas de Moscú. La pobreza de la Cuba postsoviética no es sólo un desengaño en sí mismo: deja dolorosamente claro que la postura heroica del pasado sólo fue posible gracias a las enormes subvenciones de aquellos mismos burócratas. Del mismo modo, hasta los años noventa, el gobierno de Corea del Norte, a pesar de su carácter horrible, alimentó una cierta mística entre los radicales, particularmente entre los estudiantes surcoreanos. Con su población literalmente famélica porque han dejado de recibir ayuda soviética, ese encanto ha desaparecido.

Otro efecto más o menos directo del hundimiento soviético fue la desaparición de los muchos movimientos radicales que, cualesquiera que fuesen los argumentos que emplearan para reclamarse como los representantes de un espíritu revolucionario más puro, lo cierto es que sólo podían operar porque Moscú suministraba las armas, los campos de entrenamiento y el dinero. A los europeos les gusta señalar que los terroristas radicales de los años setenta y ochenta —la Baader-Meinhof en Alemania y las Brigadas Rojas en Italia— se proclamaban todos auténticos marxistas, sin relación alguna con los viejos y corruptos comunistas de Rusia. Sin embargo, ahora sabemos que dependían en gran medida de la ayuda del bloque soviético, y tan pronto como esta ayuda desapareció, otro tanto les sucedió a esos movimientos.

Sobre todo, el humillante hundimiento de la Unión Soviética destruyó el sueño socialista. Durante un siglo y medio la idea del socialismo —de cada uno según su capacidad y a cada uno según sus necesidades— constituyó uno de los pilares intelectuales de aquellos a quienes desagradaba la idea de estar a merced de la mano del mercado. Los líderes nacionalistas invocaban los ideales socialistas cuando obstaculizaban la inversión extranjera o repudiaban las deudas exteriores; los sindicatos utilizaban la retórica del socialismo cuando pedían mayores salarios; incluso los hombres de negocios apelaban a principios vagamente socialistas cuando pedían aranceles o subvenciones. Y aquellos gobiernos que, sin embargo, aceptaban más o menos los mercados libres lo hacían con cautela, un poco tímidamente, porque siempre temieron que un compromiso demasiado radical para permitir que los mercados siguieran su camino pudiera ser visto como una política brutal, inhumana y antisocial.

Pero, ¿quién puede recurrir hoy al discurso socialista sin esbozar una sonrisa? Como miembro de la generación del mayor *boom* de natalidad, puedo recordar que la idea de revolución, de unos hombres valerosos propulsando la historia, tenía un cierto atractivo. Ahora es un chiste cruel: después de todas las purgas y gulags, Rusia está tan atrasada y es tan corrupta como siempre; después de todos los Grandes Saltos y revoluciones culturales, China ha decidido que ganar dinero es el bien más preciado. Todavía hay izquierdistas radicales por ahí que sostienen tenazmente que el verdadero socialismo no se ha ensayado todavía; y todavía hay izquierdistas moderados que defienden, con más justificación, que se puede rechazar el marxismo-leninismo sin convertirse necesariamente en un discípulo de Milton Friedman. Pero la verdad es que el corazón ha pasado de la oposición al capitalismo.

Por primera vez desde 1917, vivimos en un mundo en el que los derechos de propiedad y los mercados libres se consideran como principios fundamentales, no como expedientes poco generosos; donde los aspectos desagradables de un sistema de mercado —desigualdad, paro e injusticia— se aceptan como realidades de la vida. Como en la época victoriana, el capitalismo es seguro no sólo por sus éxitos —los cuales, como veremos enseguida, han sido muy reales—, sino porque nadie posee una alternativa plausible.

Esta situación no durará para siempre. Seguramente habrá otras ideologías, otros sueños; y emergerán tarde o temprano si la crisis económica actual persiste y se agrava. Por el momento, sin embargo, el capitalismo rige el mundo sin que nada le haga sombra.

LA DOMA DEL CICLO ECONÓMICO

La guerra y la depresión siempre han sido los grandes enemigos de la estabilidad capitalista. La guerra, huelga decirlo, sigue con nosotros. No obstante, las guerras que estuvieron a punto de acabar con el capitalismo en el ecuador del siglo XX fueron conflictos gigantescos entre grandes potencias, y hoy resulta difícil imaginar el estallido de una guerra similar en un futuro próximo.

¿Qué hay de la depresión? La Gran Depresión estuvo a punto de destruir tanto el capitalismo como la democracia, y nos condujo más o menos directamente a la guerra. Sin embargo, vino a continuación una generación de crecimiento sostenido en el mundo industrial, durante la cual las recesiones fueron cortas y suaves, y las recuperaciones, fuertes y sostenidas. Pero a finales de los años sesenta, Estados Unidos había estado tanto tiempo sin una recesión que los economistas pronunciaban conferencias con títulos como «¿Ha quedado obsoleto el ciclo económico?».

La pregunta era prematura: los años setenta fueron la década de la «estanflación», una combinación de depresión económica e inflación. A las dos crisis energéticas de 1973 y 1979 les sucedieron las dos peores recesiones desde los años treinta. No obstante, en los años noventa la pregunta volvía a estar sobre la mesa; y, como ya hemos visto, tanto Robert Lucas como Ben Bernanke declararon públicamente hace unos años que, toda vez que la economía seguiría sufriendo ocasionalmente algún que otro revés, los días de las recesiones más severas, por no hablar de las depresiones a escala mundial, pertenecían al pasado.

¿Cómo podía convencerse de eso la gente sino era observando que la economía no había sufrido un gran período de recesión en los últimos años? Para responder a esta pregunta, tenemos que trasladarnos por un momento al terreno de la teoría y preguntarnos cómo funciona el ciclo económico. Más concretamente, ¿por qué experimentan recesiones las economías de mercado?

Hagan lo que hagan, no digan que la respuesta es evidente: que las recesiones se producen a causa de X, siendo X el prejuicio de su elección. La verdad es que, si lo piensan —especialmente si comprenden la idea (y creen generalmente en ella) de que los mercados tienden habitualmente a igualar oferta y demanda—, una recesión es ciertamente una cosa muy peculiar. Porque durante una depresión económica, especialmente si es grave, parece que la oferta esté por todas partes y que la demanda haya desaparecido por completo. Hay trabajadores que quieren trabajar pero no existen suficientes puestos de trabajo, fábricas que funcionan perfectamente pero que no tienen suficientes pedidos, tiendas abiertas pero clientes en número insuficiente. Es bastante fácil ver cómo puede haber un déficit en la demanda de algunos bienes: si los fabricantes producen muchas muñecas Barbie pero resulta que los consumidores prefieren las Bratz, algunas de aquellas muñecas Barbie podrían quedarse sin vender. Pero, ¿cómo puede ser que haya tan poca demanda de bienes en general? ¿Acaso no tiene la gente que gastarse el dinero en algo?

Parte del problema que la gente tiene al hablar razonablemente sobre las recesiones es que es difícil describir lo que sucede durante una recesión, reducirla a una escala humana. Pero yo tengo una historia favorita que me gusta utilizar para explicar que las recesiones están por todas partes, y me sirve además para espolear mis propias reflexiones. (Los lectores de mis libros anteriores ya han oído hablar de ella.) Es una historia auténtica, aunque en el capitulo 3 utilizaré una versión imaginaria para tratar de hallar un sentido al malestar japonés.

La historia se cuenta en un artículo de Joan y Richard Sweeney, publicado en 1978 con el título «Monetary Theory and the Great Capitol Hill Baby-sitting Co-op Crisis». No se asusten ante el título: la cosa es seria.

Durante los años setenta, la familia Sweeney pertenecía, ¡oh, sorpresa!, a una cooperativa de canguros: una asociación de parejas jóvenes, en este caso gente que trabajaba en su mayoría en la Cámara de Representantes, dispuestas a hacer de canguro para los niños de los demás. Esta curiosa cooperativa era extraordinariamente amplia —contaba con unas 150 parejas—, lo que no sólo significaba que había una gran cantidad de canguros potenciales sino que dirigir la organización, sobre todo asegurarse de que las labores se repartieran de un modo justo entre todas las parejas, no era una cuestión trivial.

Como muchas otras instituciones similares, y otros esquemas de trueque, la cooperativa de Capitol Hill trató el problema emitiendo vales: cupones que daban al poseedor derecho a una hora del servicio de canguro. Cuando los niños fueran atendidos, los canguros recibirían de los padres de esas criaturas el número de cupones correspondiente. Por su propia estructura, era un sistema a prueba de escaqueo: aseguraba automáticamente que, a lo largo del tiempo, cada pareja prestaría exactamente el mismo número de horas de canguro que las que recibiría.

Pero la cosa no era tan sencilla. Resulta que tal sistema requiere que el número de vales en circulación sea el adecuado. Las parejas con varias noches libres seguidas y que no tenían planes inmediatos para salir, tratarían de acumular reservas para el futuro; esta acumulación se vería compensada por la reducción de las reservas de otras parejas, pero con el tiempo cada pareja, de media, probablemente querría mantener un número de cupones suficiente para salir varias veces entre un turno de canguro y otro. La emisión de cupones en la cooperativa de Capitol Hill era un asunto complicado: las parejas recibían cupones al adherirse, que se suponía debían devolver al abandonarla, pero también realizaban pagos en cupones que se utilizaban para pagar a los funcionarios, y así sucesivamente. Los detalles no son importantes; el caso es que llegó un momento en el que había en circulación un número relativamente reducido de cupones, demasiado pocos, de hecho, para atender las necesidades de la cooperativa.

El resultado fue peculiar. Las parejas que creían tener unas reservas insuficientes de cupones estaban preocupadas ante la posibilidad de no poder disponer de canguro y se volvieron reacias a salir. Pero la decisión de salir de una pareja abría la puerta a otra para hacer de canguro, de manera que las oportunidades de hacer de canguro comenzaron a escasear y las parejas fueran aún más reacias a utilizar sus reservas excepto en ocasiones especiales, lo cual hizo que las oportunidades de hacer de canguro se redujeran aún más...

En resumen: la cooperativa entró en una recesión.

Está bien, descansen. ¿Cómo reaccionan después de que les haya contado esta historia?

Si se han quedado perplejos —¿no se suponía que era un libro sobre la crisis económica mundial y no sobre el cuidado de niños?—, es que no comprenden el tema principal. La única manera de encontrarle el sentido a cualquier sistema complejo, sea el tiempo o la economía mundial, es trabajar con modelos, representaciones simplificadas de aquel sistema cuyo funcionamiento esperamos entender mejor. A veces los modelos se componen de sistemas de ecuaciones, a veces de programas informáticos (como las simulaciones que nos proporcionan la previsión diaria del tiempo); pero a veces son como los modelos que los diseñadores de aviones prueban en túneles de viento, versiones a escala de la realidad que permiten una mejor observación y experimentación. La cooperativa de canguros de Capitol Hill era una economía en miniatura, era justamente la economía de menor tamaño capaz de padecer una recesión. Pero lo que experimentó *fue* una recesión real, del mismo modo que la fuerza de elevación generada por las alas de la maqueta de un avión es una fuerza de elevación real; y así como el comportamiento de aquel modelo puede proporcionar a los diseñadores una pista valiosa para perfeccionar un jumbo, los altibajos de la cooperativa pueden darnos pistas decisivas sobre la causa de los éxitos o fracasos de las economías de tamaño natural.

Si no están tan perplejos como ofendidos —se suponía que íbamos a tratar asuntos importantes y, en su lugar, les vengo con cuentos sobre los *yuppies* de Washington, ¡qué vergüenza!—, recuerden lo que dije en la introducción: el ingenio, el deseo de jugar con las ideas, no es algo simplemente divertido, sino esencial en tiempos como éstos. No confíen nunca en un diseñador de aviones que se niegue a jugar con maquetas, y no confíen nunca en una lumbrera económica que no quiera jugar con modelos económicos.

Lo que pasa es que el cuento de la cooperativa de canguros resultará ser una poderosa herramienta para comprender los problemas nada fantásticos de las economías del mundo real. Los modelos teóricos que utilizan los economistas, principalmente las construcciones matemáticas, suelen parecer mucho más complicados que esto; pero por lo general sus lecciones se pueden traducir en sencillas parábolas, como la de la cooperativa de Capitol Hill (y, cuando no es posible, a menudo podemos inferir que algo no funciona en el modelo). Acabaremos por volver a la historia de los canguros varias veces en este libro, en diferentes contextos. Por ahora, sin embargo, consideremos dos implicaciones decisivas de la historia: una sobre cómo pueden producirse las recesiones; la otra, sobre cómo tratarlas.

En primer lugar, ¿por qué experimentó la cooperativa de canguros una recesión? *No* fue porque los miembros de la cooperativa hicieran mal el trabajo de canguro: puede que lo hicieran mal o puede que no lo hicieran mal pero, de cualquier modo, éste es otro tema. No fue porque la cooperativa padeciera los «valores de Capitol Hill», o incurriera en «cangurismo de compadreo», o porque no lograra adaptarse a los cambios en los aspectos tecnológicos del mundo de los canguros tanto como sus competidores. El problema no estaba en la capacidad de la cooperativa para producir, sino simplemente en una falta de «demanda efectiva»: demasiado poco gasto en bienes reales (tiempo de canguro), porque las personas trataban de acumular liquidez (cupones de canguro). La lección para el mundo real es que su vulnerabilidad ante el ciclo económico puede tener poco o nada que ver con sus puntos económicos, fuertes y débiles, más fundamentales: a las buenas economías les pueden pasar cosas malas.

En segundo lugar, en este caso, ¿qué solución había? Los Sweeney dicen que, en el caso de la cooperativa de Capitol Hill, fue muy difícil convencer al consejo de gobierno, compuesto principalmente por abogados, de que el problema era esencialmente técnico y tenía fácil arreglo. Los funcionarios de la cooperativa, en un principio, lo trataron como si fuera lo que un economista consideraría un problema «estructural», que exige una actuación directa: se aprobó una norma que *exigía* a cada pareja salir por lo menos dos veces al mes. Sin embargo, los economistas acabaron imponiendo su postura, y se aumentó la oferta de cupones. Los resultados fueron maravillosos: a mayores reservas de cupones, las parejas querían salir con mayor frecuencia, lo que ofrecía más oportunidades a los canguros, e incrementaba el deseo de las parejas de salir todavía más, y así sucesivamente. El PBCC —Producto Bruto de la Cooperativa de Canguros, medido en unidades de niños atendidos— aumentó. Una vez más, esto no fue porque las parejas se hubieran convertido en mejores canguros o porque la cooperativa hubiera experimentado algún tipo de proceso de reforma fundamental; fue simplemente porque se había rectificado el embrollo monetario. En otras palabras, las recesiones pueden combatirse sencillamente emitiendo dinero; y, a veces, (por lo general) pueden resolverse con una facilidad sorprendente.

Y con esto volvamos al ciclo económico en el mundo real.

La economía de un país, incluso si es pequeño, es, por supuesto, mucho más compleja que la de una cooperativa de canguros. Entre otras cosas, en el mundo real las personas gastan dinero no sólo para satisfacer sus gustos corrientes, sino para invertir de cara al futuro (imaginen que se hubiera contratado a los miembros de la cooperativa no para cuidar de los niños sino para construir un nuevo parque infantil). Y en el mundo real existe también un mercado de capitales, en el que quienes ahorran liquidez pueden prestar a interés a los que la necesitan ahora. Pero los fundamentos son los mismos: una recesión es normalmente una situación en la que todo el público intenta acumular liquidez (o, lo que es lo mismo, intenta ahorrar más que invertir) y por lo general puede remediarse sencillamente emitiendo más cupones.

Las entidades emisoras de cupones del mundo contemporáneo son los bancos centrales: la Reserva Federal, el Banco Central Europeo, el Banco de Japón... Y su labor consiste en mantener el equilibrio en la coyuntura económica inyectando o retirando liquidez, según la necesidad del momento.

Si todo esto es tan fácil, ¿por qué sufrimos depresiones económicas? ¿Por qué no optan los bancos centrales por imprimir siempre una cantidad de dinero suficiente para mantenernos a todos ocupados?

Antes de la segunda guerra mundial, los políticos simplemente no sabían lo que hacían. En la actualidad, prácticamente toda la gama de economistas, desde Milton Friedman hasta la izquierda, coincide en que la Gran Depresión se produjo por un colapso de la demanda efectiva y que la Reserva Federal tenía que haber combatido la depresión con grandes inyecciones de dinero. Pero en aquella época, ésta no era en absoluto la opinión convencional. En efecto, muchos economistas eminentes se adhirieron a una especie de fatalismo moralista, que veía la depresión como una consecuencia inevitable de los anteriores excesos de la economía, y ciertamente como un proceso saludable: la recuperación, declaró Joseph Schumpeter, «sólo es sólida si [se produce] por sí misma. Porque cualquier reanimación que se deba simplemente a estímulos artificiales deja por hacer una parte del trabajo de las depresiones y añade, a un residuo indigesto de desajuste, un nuevo desajuste autónomo que a su vez hay que liquidar, amenazando de este modo a la economía con otra crisis [peor]».

Semejante fatalismo desapareció después de la guerra y, durante una generación, la mayoría de los países intentó controlar activamente el ciclo económico, con un éxito considerable; las recesiones fueron suaves, y los puestos de trabajo, por lo general, abundantes. Pero a finales de los años sesenta muchos comenzaron a creer que el ciclo económico ya no era un problema importante; incluso Richard Nixon prometió «armonizar» la economía.

Menuda demostración de un orgullo desmedido. En los años setenta, el trágico resquebrajamiento de las políticas de pleno empleo se hizo evidente. Si el Banco Central se excede en su optimismo acerca del número de puestos de trabajo que se pueden crear, si pone en circulación demasiado dinero, provoca inflación; y una vez que la inflación se ha incrustado profundamente en las expectativas del público, sólo un período de desempleo elevado puede extirparla del sistema. Añádase algún *shock* externo que aumente de repente los precios —como, por ejemplo, que se doble el precio del petróleo— y tendremos la receta para una grave depresión económica, a pesar de que no alcance los extremos de la Gran Depresión.

Pero, a mediados de los años ochenta, la inflación había retrocedido hasta límites tolerables, la oferta de petróleo era abundante y los bancos centrales parecían finalmente atinar en la dirección de la economía. En efecto, todas las malas experiencias del pasado parecían, si cabe, reforzar el sentido de que finalmente habíamos resuelto la cuestión. En 1987, por ejemplo, la Bolsa de Estados Unidos se derrumbó, con una caída en un solo día tan grave como la del primer día de la crisis del 29. Pero la Reserva Federal inyectó liquidez en el sistema, la economía real ni siquiera se ralentizó y el índice Dow Jones se recuperó pronto. A finales de los años ochenta, los banqueros centrales, preocupados por un pequeño repunte de la inflación, pasaron por alto las señales de una recesión en marcha y se retrasaron en la adopción de medidas para combatirla; pero, aunque aquella recesión le costó su puesto a George H. W. Bush, acabó respondiendo a la medicina habitual, y Estados Unidos entró en otro período de expansión sostenida.

Buena parte del mérito de esa contención se atribuyó a los gestores de la política monetaria: nunca en la historia ha disfrutado un banquero central de la mística que ha rodeado a Alan Greenspan. Pero también se tenía la impresión de que la estructura subyacente de la economía había cambiado de un modo que hacía que fuera más probable que continuara la prosperidad.

EL PAPEL SALVADOR DE LA TECNOLOGÍA

En un sentido estrictamente terminológico, podríamos decir que la era de la información moderna comenzó cuando Intel introdujo el microprocesador —las tripas de un ordenador en un solo chip— allá por 1971. Pero los productos de los primeros años ochenta que utilizaban de forma muy evidente esta tecnología —aparatos de fax, videojuegos y ordenadores personales— estaban cada vez más extendidos. En aquella época, sin embargo, no se vio como una revolución. Muchas personas suponían que las industrias de la información continuarían estando en manos de grandes compañías burocráticas como IBM, o que todas esas nuevas tecnologías acabarían tomando el mismo camino que el aparato de fax, el vídeo y el videojuego y serían equipos inventados por norteamericanos innovadores pero convertidos en productos para la venta sólo por anónimos fabricantes japoneses.

Sin embargo, en los noventa estaba claro que las industrias de la información cambiarían espectacularmente el aspecto y el pulso de nuestra economía.

Con todo, todavía es posible mostrarse escéptico sobre la magnitud real de los beneficios económicos de las tecnologías de la información. Lo que no puede negarse es que estas nuevas tecnologías han tenido un impacto más *visible* en nuestra manera de trabajar que cualquier otra cosa en los últimos veinte o treinta años. Después de todo, el típico trabajador norteamericano moderno ahora está sentado en una oficina; y desde 1900 hasta los años ochenta, el aspecto básico de una oficina de negocios y de su funcionamiento —mecanógrafas y archivos, memorandos y reuniones— era bastante estático. (De acuerdo, la fotocopiadora Xerox eliminó el papel carbón.) Pero todo cambió en un plazo de tiempo bastante corto: ordenadores personales en red en cada mesa de trabajo, correo electrónico e Internet, videoconferencias y telecomunicación... Éste era un cambio cualitativo inequívoco, que creó una sensación de progreso importante que no estaba al alcance de meras mejoras cuantitativas. Y esa sensación de progreso contribuyó a infundir un nuevo optimismo ante el capitalismo.

Además, las nuevas industrias resucitaron lo que podríamos llamar el elemento romántico del capitalismo: la idea del empresario heroico que construye una ratonera mejor y que, al hacerlo, se enriquece merecidamente. Desde los días de Henry Ford, aquella heroica figura parecía cada vez más mítica, a medida que la economía pasaba a estar en manos de empresas gigantescas al frente de las cuales no había innovadores románticos, sino burócratas que también podrían haber sido perfectamente funcionarios gubernamentales. John Kenneth Galbraith escribió en 1968: «Con el ascenso de la sociedad anónima moderna, la aparición de la organización requerida por la tecnología moderna y la planificación y el divorcio entre el poseedor del capital y el control de la empresa, el empresario ya no existe como una persona individual en la empresa industrial madura». ¿Y quién podría entusiasmarse ante un capitalismo que parecía ser más o menos como el socialismo aunque despojado del componente de justicia?

Sin embargo, las industrias de la información sacudieron el orden industrial. Como en el siglo XIX, la historia económica se convirtió en una historia de individuos notables: de hombres (y, por lo menos de vez en cuando, mujeres) que tenían una idea mejor, la desarrollaban en su taller o en la mesa de su cocina y se enriquecían. Las revistas económicas se convirtieron realmente en algo interesante de leer; y el éxito económico era algo admirable, como no lo había sido durante más de un siglo.

Todo esto preparó el terreno para las ideas de libre mercado. Hace cuarenta años, los defensores del libre mercado, de las virtudes del empresariado sin limitaciones, tenían un problema de imagen: cuando decían «empresa privada», muchas personas pensaban en la General Motors; cuando decían «hombre de negocios», muchas personas pensaban en el hombre con un traje de franela gris. En los años noventa, la vieja idea de que la riqueza es el producto de la virtud, o al menos de la creatividad, reapareció.

Pero lo que realmente cimentó el optimismo económico fue la notable difusión de la prosperidad, no solamente en las naciones avanzadas (en las que, efectivamente, los beneficios no se difundieron tan ampliamente como uno podría haber deseado), sino en muchos países que no hacía mucho tiempo habían sido considerados económicamente desahuciados.

Los frutos de la globalización

La expresión «Tercer Mundo» se consideraba originalmente un distintivo de orgullo: Jawaharlal Nehru lo acuñó para referirse a aquellos países que mantenían su independencia, sin aliarse ni con Occidente ni con la Unión Soviética. Pero la realidad económica desbancó muy pronto a la intención política: «Tercer Mundo» vino a significar atrasado, pobre, menos desarrollado. Y el término pasó a tener una connotación no de justa demanda, sino de desesperación.

Todo cambió a causa de la globalización: la transferencia de tecnología y de capital de los países con salarios altos a los países con salarios bajos, y el crecimiento resultante de las exportaciones intensivas en trabajo del Tercer Mundo.

Es un poco difícil recordar cómo era el mundo antes de la globalización, así que intentemos retrasar el reloj por un momento, para ver cómo era el Tercer Mundo hace una generación (y como sigue siendo en muchos países). En aquellos días, aunque el rápido crecimiento económico de un puñado de pequeñas naciones del este asiático había comenzado a llamar la atención, los países en vías de desarrollo como Filipinas, Indonesia o Bangladés eran todavía principalmente lo que siempre habían sido: exportadores de materias primas e importadores de productos manufacturados. Sectores manufactureros pequeños e ineficientes vendían en sus mercados interiores, protegidos por cuotas de importación, pero estos sectores generaban pocos puestos de trabajo. Entretanto, la presión de la población empujaba a los campesinos desesperados a cultivar tierras todavía más marginales o a buscar el sustento como fuera, viviendo, por ejemplo, de las montañas de basura que hay en los alrededores de muchas ciudades del Tercer Mundo.

Dada esta falta de otras oportunidades, era posible contratar a trabajadores en Yakarta o Manila por una miseria. Pero, a mediados de los años setenta, el trabajo barato no lo era tanto como para permitir a un país en vías de desarrollo competir en los mercados mundiales de bienes manufacturados. Las ventajas afianzadas de las naciones avanzadas —su infraestructura y conocimientos técnicos, la dimensión muchísimo mayor de sus mercados y su proximidad a los proveedores de componentes clave, su estabilidad política y las sutiles pero decisivas adaptaciones sociales que son necesarias para que funcione una economía eficiente— parecían pesar más que unos salarios diez o veinte veces inferiores. Hasta los radicales parecían haber perdido la esperanza de invertir aquellas ventajas tan afianzadas: en los años setenta, las demandas de un Nuevo Orden Económico Internacional se centraban en los intentos por aumentar el precio de las materias primas más que en ayudar a los países del Tercer Mundo a entrar en el mundo industrial moderno.

Y entonces, algo cambió. Una combinación de factores que todavía no hemos comprendido del todo —barreras arancelarias más bajas, mejores telecomunicaciones, la llegada del transporte aéreo barato— redujo las desventajas de la producción en países en vías de desarrollo. Suponiendo que lo demás no cambie, sigue siendo mejor producir en el Primer Mundo —las historias acerca de empresas que desplazaron la producción a México o al este asiá-

tico, y que decidieron regresar al experimentar en primera persona las desventajas del entorno tercermundista son actualmente de
lo mas común—, pero ahora había un número sustancial de industrias en las que los bajos salarios daban a los países en vías de desarrollo una ventaja competitiva suficiente para introducirse en los
mercados mundiales. Y así, países que antes se ganaban la vida vendiendo yute o café comenzaron a producir en su lugar camisas y calzado deportivo.

Inevitablemente, los trabajadores de esas fábricas de camisas y
calzado deportivo cobraban muy poco y soportaban unas terribles
condiciones de trabajo. Digo «inevitablemente» porque sus emplea-
dores no están en ese negocio porque sí (o por el bien de los trabajadores); por supuesto, intentarán pagar lo menos posible, y ese mínimo viene determinado por las demás oportunidades al alcance
de los trabajadores. Y, en muchos casos, se trata todavía de países
extremadamente pobres.

Sin embargo, en aquellos países en los que las nuevas industrias
de exportación arraigaron, es indudable que la vida de la gente corriente ha mejorado. En parte, se debe a que una industria en expansión debe ofrecer a sus trabajadores un salario algo superior al que
podrían conseguir en cualquier otro trabajo para que se decidan a
dar el paso de cambiar de empleo. Más importante es, si cabe, la onda
expansiva en toda la economía provocada por el crecimiento de las
manufacturas y por todo el resto de ocupaciones marginales que surgieron como consecuencia del sector de la exportación. La presión
sobre la tierra se hizo menos intensa, con lo que, en el mundo rural,
aumentaron los salarios; la masa de habitantes urbanos desocupa-
dos siempre en busca de empleo se redujo y las fábricas comenzaron a competir ente sí por contratar mano de obra, lo que también
motivó un aumento de los salarios en la ciudad. En aquellos países
en los que hace años que este proceso ha durado lo suficiente, como
por ejemplo Corea del Sur o Taiwán, los salarios están a la altura
de los de los países desarrollados. (En 1975, el salario medio por
hora en Corea del Sur solamente representaba un 5 por 100 de lo
que se pagaba en Estados Unidos; en el año 2006, había aumentado hasta el 62 por 100.)

Los beneficios del crecimiento económico promovido por las exportaciones para el grueso de la población de las economías de reciente industrialización no era algo coyuntural. Un país como Indonesia sigue siendo en la actualidad tan pobre que el progreso se mide a partir de cuánto come de media una persona: entre 1968 y 1990, la ingesta per cápita pasó de 2.000 a 2.700 calorías por día, y la esperanza de vida, de cuarenta y seis a sesenta y tres años. Mejoras como éstas se dieron en toda la costa del Pacífico, e incluso en lugares como Bangladés. Estos avances no se debieron a que un puñado de occidentales bienintencionados decidieran hacer algo para ayudar; de hecho, aunque la ayuda exterior nunca había sido cuantiosa, en los años noventa se redujo hasta prácticamente desaparecer. Tampoco fue el resultado de unas políticas favorables de los gobiernos nacionales, que, como no íbamos a tardar en recordar por la fuerza de los hechos, seguían siendo tan crueles y corruptos como hasta entonces. Estas mejoras fueron el resultado indirecto y fortuito de la actuación de unas multinacionales desalmadas y de unos empresarios locales rapaces, sin más interés que aprovechar las oportunidades de beneficio que ofrecía el trabajo barato. No era un espectáculo edificante; pero no importa cuáles fueran los motivos de los implicados; el resultado fue que cientos de millones de personas iban a pasar de una miseria total a algo que en algunos casos todavía era terrible pero, a pesar de ello, significativamente mejor.

Una vez más el capitalismo podía, con motivos de sobras, reclamar para sí aquel mérito. Los socialistas habían prometido repetidamente el desarrollo; hubo un tiempo en el que el Tercer Mundo veía en los planes quinquenales de Stalin la imagen misma de los pasos que había de dar un país atrasado para entrar por sí mismo en el siglo XX. E incluso después de que la Unión Soviética hubiera perdido su halo de progresismo, muchos intelectuales creían que sólo protegiéndose de la competencia con las economías más avanzadas podían esperar los países pobres liberarse de la trampa en la que se encontraban aprisionados. Sin embargo, en los años noventa, algunos modelos demostraron, no en vano, que era posible un desarrollo rápido; y ello no se había conseguido a través del espléndido aislamiento socialista, sino precisamente integrándose en la medida de lo posible en el capitalismo global.

ESCÉPTICOS Y CRÍTICOS

No todos estaban contentos con el estado de la economía mundial después de la caída del comunismo. Aunque Estados Unidos experimentaba una notable prosperidad, otras economías avanzadas tenían más dificultades. Japón todavía no se había recuperado del estallido de su «economía burbuja» de principios de los años noventa y Europa padecía aún de «euroesclerosis», la persistencia de unas tasas de paro altas, especialmente entre los jóvenes, incluso durante las épocas de recuperación económica.

Tampoco todos los estadounidenses participaban del mismo modo de la prosperidad general. Las desigualdades en riqueza e ingresos habían aumentado hasta niveles que no se habían visto desde los días de *El gran Gatsby* y, según los cálculos oficiales, lo cierto es que los salarios reales habían disminuido para muchos trabajadores. Aun considerando las cifras con precaución, estaba bastante claro que el progreso de la economía norteamericana se había olvidado de al menos veinte o treinta millones de personas, cuya situación había empeorado.

Hubo quien encontró otros argumentos para escandalizarse. Los salarios bajos y las penosas condiciones de trabajo en aquellas industrias de exportación del Tercer Mundo provocaban constantes comentarios moralistas; no en vano, para los estándares del Primer Mundo, aquellos trabajadores eran ciertamente miserables, y quienes criticaban este hecho tenían poca paciencia con los que defendían que tener malos trabajos y malos salarios es mejor que no tener trabajo en absoluto. Algo más de razón tenían quienes, en un alarde de humanidad, señalaban que había grandes zonas del mundo que estaban totalmente al margen de los beneficios de la globalización: en los años noventa, África, en particular, era todavía un continente cada vez más azotado por la pobreza, la proliferación de enfermedades y unos conflictos brutales.

Como siempre, también había agoreros. No obstante, ya desde los años treinta ha habido gente que ha predicho la inminen-
cia de una nueva depresión; los observadores más sensatos, por su
parte, han aprendido a no tomarse en serio estos avisos. Por eso,
prácticamente todo el mundo pasó por alto los funestos sucesos que
sacudieron Latinoamérica durante la primera mitad de los años
noventa, unos sucesos que, hoy lo sabemos, apuntaban la posibilidad de una nueva economía de la depresión.

2

Aviso ignorado:
las crisis latinoamericanas

IMAGÍNESE QUE ESTÁ JUGANDO a la asociación de palabras —en la que una persona dice una palabra o frase, y la otra tiene que responder con la primera cosa que se le ocurra— con un banquero internacional, un funcionario financiero o un economista experimentado. Hasta hace muy poco, y tal vez también ahora, si usted dijera «crisis financiera», seguramente él respondería «Latinoamérica».

Durante generaciones, los países latinoamericanos estuvieron particularmente sujetos a crisis monetarias, quiebras bancarias, ataques de hiperinflación y todas las demás desgracias monetarias conocidas por el hombre moderno. Los gobiernos elegidos pero débiles alternaban con los hombres fuertes de la milicia, y ambos trataban de comprar el apoyo popular con programas populistas que no se podían permitir. En el esfuerzo para financiar estos programas, los gobiernos pedían préstamos a banqueros extranjeros imprudentes, con el resultado final de crisis de la balanza de pagos e insolvencia, o recurrían a la máquina de imprimir, con el resultado final de hiperinflación. Hasta el día de hoy, cuando los economistas cuentan parábolas sobre los peligros del «populismo macroeconómico», sobre las muchas maneras de echar a perder el dinero, la moneda hipotética es llamada, por convenio, el «peso».

Pero a finales de los años ochenta parecía que Latinoamérica había aprendido finalmente su lección. Pocos latinoamericanos admiraban la brutalidad de Augusto Pinochet; sin embargo, las reformas económicas que introdujo en Chile experimentaron un gran éxito y fueron mantenidas sin cambios cuando el país volvió finalmente a la democracia en 1989. La vuelta de Chile a las virtudes victorianas —a la moneda sólida y a los mercados libres— empezó a parecer cada vez más atractiva a medida que la tasa de crecimiento del país aumentaba. Además, las viejas políticas parecían haber llegado finalmente al término de su camino: la crisis de la deuda que comenzó en 1982 iba para largo, y se vio cada vez más claramente que sólo algún cambio radical de la política haría que la región se pusiera de nuevo en marcha.

Y así Latinoamérica introdujo reformas. Se privatizaron las compañías de propiedad estatal, se levantaron las restricciones a las importaciones, se equilibraron los déficits presupuestarios. El control de la inflación se convirtió en una prioridad; en algunos casos, como veremos, los países adoptaron medidas drásticas para restaurar la confianza en sus monedas. Y estos esfuerzos fueron recompensados rápidamente, no sólo con una mayor eficiencia, sino con la renovada confianza de los inversionistas extranjeros. Los países que habían pasado los ochenta como parias financieros —todavía en 1990, los acreedores que se desprendían de la deuda latinoamericana y vendían sus derechos a inversionistas con una menor aversión al riesgo recibían, en promedio, sólo treinta centavos por dólar— pasaron a ser queridos por los mercados internacionales, y recibieron flujos de dinero que hicieron que incluso parecieran pequeños los préstamos bancarios que los habían precipitado en la primera crisis de la deuda. Los medios internacionales comenzaron a hablar de la «nueva» Latinoamérica, en particular del «milagro mexicano». En septiembre de 1994, el informe anual sobre la competitividad mundial, preparado por las personas que organizan las famosas conferencias de Davos, presentó un mensaje especial del héroe del momento, el presidente mexicano Carlos Salinas.

Tres meses después, México se hundió en su peor crisis financiera. La denominada «crisis tequila» ocasionó una de las peores recesiones que han golpeado a un país desde los años treinta; sus repercusiones se propagaron a través de Latinoamérica y bordearon peligrosamente el hundimiento del sistema bancario argentino. Retrospectivamente, esa crisis habría sido vista como un presagio, una advertencia de que la buena opinión de los mercados puede ser voluble, que la buena prensa de hoy no le protege a uno de la crisis de confianza de mañana.

Pero la advertencia fue ignorada. Para comprender el porqué, tenemos que echar un vistazo a la extrañamente poco enfatizada historia de la gran crisis latinoamericana.

MÉXICO: HACIA ARRIBA DESDE LOS OCHENTA

Nadie podría calificar de ingenuo al gobierno de México. El círculo interno del presidente, los llamados científicos, eran hombres jóvenes bien educados que deseaban que México llegara a ser un país moderno y creían que esto requería una estrecha integración en la economía mundial. Los inversionistas extranjeros eran bienvenidos y sus derechos de propiedad estaban asegurados. Impresionados con el liderazgo progresista, acudieron en gran número y desempeñaron un papel decisivo en la modernización del país.

Pero eso ocurrió hace mucho tiempo. Porfirio Díaz, que gobernó México de 1876 a 1911, fue derrocado finalmente por un levantamiento popular. Y el gobierno estable que surgió después de una década de guerra civil fue populista, nacionalista, receloso de los inversionistas extranjeros en general y de Estados Unidos en particular. Los miembros del maravillosamente denominado Partido Revolucionario Institucional, o PRI, deseaban modernizar México, pero querían hacerlo a su manera: las industrias fueron desarrolladas por compañías nacionales, para suministrar al mercado interior, protegidas de las extranjeras más eficientes mediante aranceles y restricciones a la importación. La moneda extranjera se admitía, mientras no acarreara el control extranjero; el gobierno mexicano mostraba su satisfacción por permitir que sus compañías pidieran préstamos a los bancos norteamericanos, siempre que las acciones con derecho a voto se mantuvieran en manos locales.

Esta política económica introvertida puede haber sido ineficiente; aparte de las maquiladoras, fábricas orientadas a la exportación a las que sólo se permitía operar en una estrecha zona próxima a la frontera con Estados Unidos, México no logró aprovechar la tendencia creciente a la globalización. Pero una vez establecida, la política de desarrollo de México devino profundamente atrincherada en el sistema político y social del país, defendido por un triángulo de hierro de oligarcas industriales (que tenían acceso preferente al crédito y a las licencias de importación), políticos (que recibían dádivas espléndidas de los oligarcas) y sindicatos (que representaban una «aristocracia del trabajo», de trabajadores relativamente bien pagados en las industrias protegidas). Hasta los años setenta, México evitó extralimitarse financieramente; el crecimiento era decepcionante, pero no hubo crisis.

Sin embargo, a finales de los años setenta, esa tradicional cautela fue arrojada por la borda. La economía entró en un auge febril, alimentado por nuevos hallazgos de petróleo, precios altos del mismo y grandes préstamos de los bancos extranjeros.

Pocas personas vieron las señales de aviso. Hubo artículos aislados en la prensa que sugerían la aparición de algunos problemas financieros, pero la opinión general era que México (y Latinoamérica en general) planteaba pocos riesgos financieros. Este falso sentimiento de seguridad puede cuantificarse: todavía en julio de 1982, el rendimiento de los bonos mexicanos era ligeramente *menor* que el de los prestatarios probablemente dignos de confianza como el Banco Mundial, lo cual indica que los inversionistas consideraban irrelevante el riesgo de que México dejase de pagar al vencimiento.

A mediados del mes siguiente, sin embargo, una delegación de funcionarios mexicanos voló a Washington para informar al secretario del Tesoro de Estados Unidos de que no tenían dinero y que México ya no podría pagar sus deudas. En pocos meses la crisis se propagó por la mayor parte de Latinoamérica y más allá, a medida que los bancos dejaron de prestar y empezaron a reclamar el reembolso. Con frenéticos esfuerzos —préstamos de emergencia por parte del gobierno norteamericano y de agencias internacionales como el Banco de Pagos Internacionales, «reprogramación» de la devolución de préstamos, y lo que cortésmente se conoció como «préstamo concertado» (en el que los bancos se veían más o menos obligados a prestar a los países el dinero que necesitaban para pagar los intereses de los préstamos pendientes)—, muchos países lograron evitar un impago general. Sin embargo, el precio de eludir por los pelos la catástrofe final fue una grave recesión, seguida por una recuperación lenta y a menudo insegura. En 1986, la renta real per cápita era un 10 por 100 inferior a la que había sido en 1981; los salarios reales, erosionados por una tasa media de inflación de más del 70 por 100 durante los cuatro años anteriores, estaban un 30 por 100 por debajo de su nivel antes de la crisis.

Entran los reformistas. A lo largo de los años setenta, una «nueva clase» se había hecho cada vez más influyente en el partido gobernante y en el gobierno de México. Bien educados, a menudo licenciados en Harvard o en el Massachusetts Institute of Technology (MIT), hablando con fluidez el inglés y con aspecto internacional, eran lo bastante mexicanos como para navegar por las aguas del sistema de nombramiento de los cargos políticos del PRI, pero lo suficientemente americanizados para creer que las cosas tenían que ser distintas. La crisis económica dejó sin respuestas a la vieja guardia, los «dinosaurios»; los «tecnopols», que podían explicar cómo habían funcionado las reformas de libre mercado en Chile, cómo había funcionado el crecimiento orientado a la exportación en Corea, cómo se había conseguido la estabilización de la inflación en Israel, se revelaron como los hombres del momento. Y a mediados de los ochenta, muchos economistas latinoamericanos habían abandonado las viejas opiniones estatistas de los cincuenta y sesenta en favor de lo que vino en llamarse el «consenso de Washington»: el crecimiento podía conseguirse mejor a través de presupuestos saneados, inflación baja, mercados desregulados y librecambio.

En 1985, el presidente Miguel de la Madrid comenzó a poner en vigor esta doctrina, de la forma más espectacular, mediante una liberalización radical del comercio de México: los aranceles se limitaron drásticamente y se redujo enérgicamente la gama de importaciones que requerían licencia gubernamental. El gobierno comenzó a vender algunas de las empresas que poseía y suavizó las estrictas reglas que regían la propiedad extranjera. Y, tal vez sea lo más notable de todo, De la Madrid no designó como sucesor suyo a uno de los habituales jefes del PRI, sino a un campeón de los nuevos reformadores: el secretario de Planificación y Presupuesto, Carlos Salinas de Gortari, graduado en la Kennedy School of Government de Harvard, y rodeado por un *staff* de economistas muy estimados, formados principalmente en el MIT.

Utilizo deliberadamente la frase «designó como sucesor suyo». El sistema político de México, desde 1920 hasta 1990, era verdaderamente único. Sobre el papel era una democracia representativa; en los últimos años esta ficción, milagrosamente, ha comenzado a hacerse realidad. Pero en 1988, año en que fue elegido Salinas, la democracia mexicana era realmente una especie de versión trucada de los políticos tradicionales de Chicago: un sistema de partido único en el que los votos se compraban por medio de la protección, y cualquier déficit se resolvía mediante el recuento de votos creativos. Lo que hay que destacar en este sistema, sin embargo, es que el propio presidente, aunque se parecía mucho a un monarca absoluto durante su gestión de seis años, no podía ambicionar un segundo mandato; debía retirarse, tras haberse enriquecido de algún modo durante su permanencia, y entregar las riendas a un sucesor designado que sería nombrado por el PRI y que ganaría de modo inevitable.

En 1988, este sistema, como todo México, estaba sometido a tensiones. Salinas se enfrentaba a un contrincante real: Cuauhtémoc Cárdenas, hijo de un antiguo y popular presidente, que se oponía al reformismo de libre mercado de Salinas con un populismo anticapitalista más tradicional. Fueron unas elecciones reñidas; ganó Cárdenas. Pero no fue esto lo que salió del recuento oficial. Salinas se convirtió en presidente, pero ahora, más que cualquiera de sus predecesores, tenía que cumplir lo prometido. Y para ello volvió a su equipo económico formado en Cambridge.

Los éxitos de los años de Salinas se basaron en dos acciones políticas decisivas. En primer lugar, se resolvió la crisis de la deuda.

A principios de 1989, una vez superadas sin problemas sus propias elecciones presidenciales, el gobierno estadounidense comenzó a mostrar una voluntad inesperada de reconocer las realidades desagradables. Finalmente admitió lo que todos sabían desde hacía tiempo, que muchas sociedades de préstamo inmobiliario habían especulado con el dinero de los contribuyentes y tenían que cerrar; y, en unas declaraciones sorprendentes, el secretario del Tesoro, Nicholas Brady, dijo que la deuda latinoamericana no podía reembolsarse totalmente y debía instrumentarse alguna manera de perdonarla. El denominado Plan Brady era más un sentimiento que un plan real; las declaraciones de Brady surgían de intrigas burocráticas dignas de la serie televisiva *Sí, ministro,* durante las cuales aquellos funcionarios gubernamentales que podían haber tenido los conocimientos técnicos para reunir un anteproyecto viable para aligerar la deuda se mantenían en secreto, por temor de que pudieran suscitar objeciones. Pero esto brindó a los sumamente competentes mexicanos la salida que necesitaban. En unos pocos meses habían ideado un plan que era viable y que terminó por sustituir buena parte de la deuda pendiente por un valor nominal menor de «bonos Brady».

El aligeramiento de la deuda, en conjunto, en virtud del acuerdo Brady, era modesto, pero representaba un punto psicológicamente decisivo. Los mexicanos que desde mucho antes hacían campaña en favor del repudio de la deuda se calmaron viendo que los banqueros extranjeros renunciaban a exigir el cumplimiento completo; la deuda se desvaneció como tema político interno. Entretanto, los inversionistas extranjeros, que habían tenido miedo de colocar fondos en México, por temor de quedar atrapados allí, vieron el acuerdo como algo que ponía fin a aquella fase y estuvieron dispuestos a colocar nuevo dinero. Los tipos de interés que México se había visto obligado a pagar para mantener el dinero en el país cayeron, y como el gobierno ya no tenía que pagar tales tipos de interés por su deuda, el déficit presupuestario desapareció rápidamente. Dentro del año siguiente al acuerdo Brady, la situación financiera de México se había transformado.

Tampoco fue un arreglo del problema de la deuda el único truco que Salinas se sacó de la manga. En 1990 sorprendió al mundo proponiendo que México estableciese el libre comercio con Estados Unidos y Canadá (que ya habían negociado un acuerdo de libre comercio entre ellos). En términos cuantitativos, el propuesto TLC (NAFTA, North American Free Trade Agreement, Tratado de Libre Comercio de América del Norte) importaba menos de lo que podía pensarse: el mercado norteamericano ya estaba bastante abierto a los productos mexicanos, y la liberalización del comercio iniciada por De la Madrid había impulsado bastante, aunque no del todo, a México por la vía del libre comercio. Pero, como el paquete de medidas de la reducción de la deuda, el TLC estaba pensado para marcar un punto psicológico decisivo. Al hacer que las acciones de México para abrirse a los bienes y a los inversionistas extranjeros no fuesen simplemente una iniciativa interna, sino parte de un tratado internacional, Salinas esperaba que esas acciones fuesen irreversibles, y esperaba convencer a los mercados de que también lo eran. Esperaba asimismo garantizar que la apertura de México sería correspondida, que Estados Unidos aseguraría efectivamente a México el acceso a su propio mercado a perpetuidad.

George Bush aceptó el ofrecimiento de Salinas. ¿Cómo podía rechazarlo? Cuando la crisis de la deuda estalló en 1982, muchas personas en Estados Unidos habían temido que el resultado fuera una radicalización de la política mexicana, que las fuerzas antiamericanas —quizás incluso los comunistas— surgirían del caos resultante. En vez de ello, tipos proamericanos, partidarios del libre mercado —nuestra clase de público— habían accedido milagrosamente al poder y ofrecían eliminar las viejas barreras. Rechazarlos sería una bofetada a la reforma, prácticamente sería invitar a la inestabilidad y a la hostilidad de nuestro vecino. Así pues, sobre bases de política exterior convincentes, los diplomáticos norteamericanos estaban entusiasmados con el TLC. Convencer al Congreso resultó un poco más difícil, como veremos. Pero en los primeros momentos de entusiasmo esto todavía no era evidente.

En cambio, como las reformas en México continuaban —a medida que se vendían las empresas estatales, se eliminaban más restricciones a la importación y los inversionistas extranjeros eran bienvenidos—, el entusiasmo ante las perspectivas en México se intensificó. Personalmente recuerdo haber hablado a un grupo de ejecutivos de empresas multinacionales —máximos responsables de las operaciones de sus compañías en Latinoamérica— en Cancún, allá por marzo de 1993. Expresaba yo algunas ligeras observaciones sobre la situación mexicana, alguna evidencia de que las contrapartidas de la reforma eran un poco decepcionantes. «Usted es el único en esta sala que tiene algo negativo que decir sobre este país», me informaron cortésmente. Y personas como aquellas que estaban en la sala pusieron su dinero donde estaban sus palabras: en 1993 se invirtieron más de 30.000 millones de dólares de capital extranjero en México.

La ruptura de Argentina con el pasado

«Rico como un argentino.» Éste era un calificativo común en Europa antes de la primera guerra mundial, una época en la que Argentina era vista por el público y por los inversionistas como una tierra llena de oportunidades. Como Australia, Canadá y Estados Unidos, Argentina era una nación rica en recursos, un destino favorito para los emigrantes y el capital europeos. Buenos Aires era una ciudad elegante con un toque europeo, centro de una red ferroviaria de primera clase, construida y financiada por los británicos, la cual recogía el trigo y la carne de las pampas para exportarlos a todo el mundo. Conectada por medio del comercio y de la inversión a la economía global, y por cable telegráfico al mercado mundial de capitales, Argentina era un miembro reputado del sistema internacional de antes de la guerra.

Es cierto que Argentina tenía, y tiene ahora, una cierta tendencia a emitir demasiado dinero y a experimentar dificultades en el servicio de su deuda exterior. Pero lo mismo le sucedía a Estados Unidos. Pocos podían imaginarse que Argentina, con el tiempo, quedaría tan atrás.

Los años de entreguerras fueron difíciles para Argentina, como lo fueron para todos los países exportadores de recursos. Los precios de los productos agrícolas eran bajos en los años veinte y se hundieron en los treinta. Y la situación empeoró por el incremento de la deuda en los años más felices. En efecto, Argentina era como un granjero que se endeudaba mucho cuando los tiempos eran buenos y se encontraba dolorosamente atrapado entre la caída de los precios y los pagos fijos de los préstamos. Con todo, Argentina no lo hizo tan mal como podía haberse esperado durante la depresión. Su gobierno demostró ser menos doctrinario que los de los países avanzados, decididos a defender las convenciones monetarias a toda costa. Gracias a un peso devaluado, a controles sobre la huida de capitales y a una moratoria en la devolución de la deuda, Argentina pudo conseguir de hecho una recuperación razonablemente fuerte después de 1932; en efecto, en 1934 los europeos volvían a emigrar a Argentina, porque tenían mejores perspectivas de encontrar trabajo allí que en sus países de origen.

Pero el éxito de las políticas heterodoxas durante la depresión contribuyó a crear hábitos gubernamentales que demostrarían ser progresivamente destructivos con el tiempo. Los controles de emergencia sobre las divisas se convirtieron en un conjunto complejo y espeluznante de regulaciones que desincentivaban a la empresa y fomentaban la corrupción. Las limitaciones temporales a las importaciones se transformaron en barreras permanentes tras las cuales sobrevivían industrias pasmosamente ineficientes. Las empresas nacionalizadas se erigieron en sumidero de fondos públicos, empleando cientos de miles de personas y, sin embargo, sin prestar servicios esenciales. Y la financiación con déficit se desmandó repetidamente y llevó a ataques de inflación aún más perjudiciales.

En los años ochenta las cosas iban de mal en peor. Después de la derrota en la guerra de las Malvinas en 1982, el gobierno militar argentino había dimitido y el gobierno civil de Raúl Alfonsín tomó el poder con la promesa de la revitalización económica. Pero la crisis de la deuda golpeó a Argentina tan duramente como al resto de Latinoamérica, y el intento de Alfonsín para estabilizar los precios introduciendo una nueva moneda, el austral, fracasó tristemente.

En 1989, el país estaba padeciendo una verdadera hiperinflación, con un aumento de los precios a una tasa anual del 3.000 por 100.

El vencedor de las elecciones de 1989 fue Carlos Menem, el peronista, es decir, el candidato del partido fundado por Juan Perón, cuyas políticas nacionalistas y proteccionistas habían hecho más que cualquier otra cosa para convertir a Argentina en un país del Tercer Mundo. Pero resultó que Menem estaba preparado para llevar a cabo una versión económica del viaje de Nixon a China. Como ministro de Hacienda designó a Domingo Cavallo, doctorado en Harvard (de la misma promoción que Pedro Aspe, de México), y Cavallo diseñó un plan de reforma todavía más radical que el de México.

Una parte del plan implicaba la apertura de Argentina a los mercados mundiales, en particular, terminando con la vieja y destructiva costumbre de tratar las exportaciones agrícolas del país como una vaca que produjera liquidez, para gravarlas con tipos prohibitivos a fin de subvencionar todo lo demás. La privatización del inmenso y completamente ineficiente sector de propiedad estatal también se produjo a un ritmo extraordinario. (A diferencia de México, Argentina privatizó incluso la compañía petrolífera de propiedad estatal.) Como las políticas que se habían aplicado anteriormente en Argentina eran probablemente de las peores del mundo, estas reformas representaron una enorme diferencia.

Pero el toque distintivo de Cavallo fue la reforma monetaria. A fin de terminar definitivamente con la historia de inflación del país, resucitó un sistema monetario que casi se había olvidado en el mundo moderno: una junta monetaria.

Las juntas monetarias solían ser normales en las posesiones coloniales europeas. A tales posesiones se les permitía ordinariamente emitir su propia moneda; pero la moneda tenía que estar rígidamente ligada en valor al de la madre patria, y su solidez sería garantizada por una ley que exigiría que la moneda nacional emitida estuviera completamente respaldada por reservas de monedas fuertes. Es decir, el público estaría autorizado a convertir moneda local en libras o francos, al cambio legalmente establecido, y el banco central estaría obligado a mantener la cantidad suficiente de moneda de la madre patria para cambiarla por todos los billetes locales.

Durante los años de la posguerra, con el declive de los imperios coloniales y el ascenso de la dirección económica activa, las juntas monetarias cayeron en el olvido. Es cierto que Hong Kong, en 1983, ante una presión sobre su moneda, instituyó una junta monetaria vinculando el dólar de Hong Kong al dólar USA, al cambio de 7,8. Pero Hong Kong era una especie de vestigio colonial, aunque notablemente dinámico, y el precedente llamó poco la atención.

Sin embargo, Argentina necesitaba desesperadamente tener credibilidad y por ello Cavallo se remontó al pasado. El malogrado austral fue sustituido por el renacido peso, y este nuevo peso se estableció a un tipo de cambio permanentemente fijo de un peso, un dólar, con cada peso en circulación respaldado por un dólar de reservas. Después de décadas de maltratar a su moneda, Argentina había renunciado, por ley, a la capacidad de imprimir dinero en absoluto, a menos que alguien quisiera cambiar un dólar por un peso.

Los resultados fueron impresionantes. La inflación cedió rápidamente hasta llegar casi a desaparecer. Como México, Argentina negoció un acuerdo Brady y fue recompensada con una reanudación de la afluencia de capitales, aunque no en la misma escala. Y la economía real se reanimó extraordinariamente: después de años de declive, el PIB aumentó en una cuarta parte en sólo tres años.

EL AÑO MALO DE MÉXICO

A finales de 1993, ¿había algunas nubes en el horizonte de Latinoamérica? Los inversionistas estaban eufóricos: les parecía que la nueva orientación del continente hacia el libre mercado lo había convertido en una tierra llena de oportunidades. Los hombres de negocios extranjeros, como aquellos a los que hablé en Cancún, estaban casi igualmente animados: el entorno nuevamente liberalizado había creado unas nuevas y enormes oportunidades para ellos. Sólo unos pocos economistas hacían preguntas, y éstas eran relativamente suaves.

Una cuestión común a México y Argentina era la adecuación del tipo de cambio. Ambos países habían estabilizado sus monedas, ambos habían reducido la inflación; pero en ambos casos la reducción de la inflación se había retrasado con respecto a la estabilización del tipo de cambio. En Argentina, por ejemplo, el peso se ligó al dólar en 1991; sin embargo, durante los dos años siguientes los precios al consumidor aumentaron un 40 por 100, en comparación con sólo un 6 por 100 en Estados Unidos. Un proceso parecido, aunque en menor proporción, tuvo lugar en México; en los dos casos el efecto fue encarecer los bienes del país en los mercados mundiales, lo cual llevó a los economistas a preguntarse si no habrían sido sobrevaloradas sus monedas.

Una cuestión relacionada con lo anterior tenía que ver con la balanza comercial (en rigor, con la balanza por cuenta corriente, un estado más amplio que incluye los servicios, el pago de intereses y otras partidas por el estilo; pero utilizaré los términos indistintamente). A principios de los años noventa, las exportaciones de México aumentaban más bien despacio, sobre todo a causa de que el peso fuerte hacía que sus precios no fueran competitivos. Al mismo tiempo, las importaciones, impulsadas por la supresión de barreras a la importación y por un auge del crédito, crecían. El resultado fue un enorme exceso de importaciones sobre las exportaciones: en 1993, el déficit mexicano había alcanzado el 8 por 100 del PIB, una cifra con escasos precedentes históricos. ¿Era esto una señal de dificultades?

Los funcionarios mexicanos, y muchos fuera del país, argumentaron que no lo era. Su argumento procedía francamente de los manuales económicos. En puros términos de contabilidad, la balanza de pagos siempre está en equilibrio: esto es, cada compra que efectúa un país a los extranjeros debe estar compensada por una venta de igual valor. (Los estudiantes de economía saben que existe una pequeña salvedad técnica a esta afirmación, que implica las transferencias sin contrapartida; no se preocupen.) Si un país está padeciendo un déficit por cuenta *corriente* —comprando más bienes de los que vende— debe igualmente tener un superávit igual por cuenta de *capital* —vendiendo más *activos* de los que compra—. Y la inversa es igualmente cierta: un país que tiene un superávit por cuenta de capital debe tener un déficit por cuenta corriente. Pero eso significaba que el éxito de México al conseguir que los extranjeros le llevasen su dinero, para comprar activos mexicanos, tenía un déficit comercial como contrapartida necesaria; en efecto, el déficit era simplemente otra manera de decir que los extranjeros creían que México era un gran sitio para invertir. La única razón para interesarnos, decían los optimistas, sería si la afluencia de capitales fuese de algún modo artificial, si el gobierno estuviera atrayendo capital del exterior pidiendo prestado el dinero (como hacía antes de 1982) o aprobando presupuestos con déficit que generaban una escasez de ahorros internos. Sin embargo, el gobierno de México tenía un presupuesto equilibrado y de hecho estaba aumentando los activos exteriores (reservas de divisas) más que las deudas. Así que ¿por qué preocuparse? Si el sector privado quería invertir grandes sumas de capital en México, ¿por qué tenía el gobierno que tratar de impedirlo?

Y, con todo, había un aspecto inquietante en las realizaciones de la economía mexicana: dadas todas las reformas y dado que entraba capital, ¿dónde estaba el crecimiento?

Entre 1981 y 1989 la economía había crecido a una tasa anual de sólo el 1,3 por 100, a poca distancia del crecimiento de la población, con una renta per cápita situada bastante por debajo de su máximo de 1981. De 1990 a 1994, los años del «milagro mexicano», las cosas fueron claramente mejor: la economía creció al 2,8 por 100 anual. Esta cifra, sin embargo, apenas superaba a la del crecimiento de la población; en 1994 México estaba todavía, según sus propias estadísticas, muy por debajo de su nivel de 1981. ¿Dónde estaba el milagro, entonces? Efectivamente, ¿dónde estaba la contrapartida de todas aquellas reformas, de toda aquella inversión extranjera? En 1993, el economista Rudiger Dornbusch, del MIT, durante mucho tiempo observador de la economía mexicana (y maestro de gran parte de los economistas que actualmente gobiernan México, incluido Aspe), escribió un cáustico análisis de la situación, titulado «Mexico: Stabilization, Reform, and No Growth».

Los defensores de las realizaciones mexicanas argumentaron que estas cifras no lograban revelar el verdadero progreso de la economía, especialmente la transformación de una base industrial ineficiente y orientada al interior en otra muy competitiva y orientada a la exportación. Sin embargo, era ciertamente inquietante que las enormes entradas de capital estuvieran produciendo tan pocos resultados apreciables. ¿Qué era lo que estaba mal?

Dornbusch y otros argumentaron que el problema estaba en el valor del peso: una moneda excesivamente fuerte hacía que los bienes mexicanos no pudieran competir en los mercados mundiales, e impedía que la economía aprovechase su capacidad de crecimiento. Lo que México necesitaba, pues, era una devaluación: una reducción del valor dólar del peso, que pondría de nuevo su economía en marcha. Después de todo, en 1992 Gran Bretaña había sido obligada por los mercados financieros (y en particular por George Soros; véase el capítulo 6) a dejar caer el valor de la libra, y el resultado fue transformar una recesión en un auge. México, decían algunos, necesitaba una dosis de la misma medicina. (Argumentos parecidos se desarrollaban también para Argentina, cuyo crecimiento había sido mucho más rápido que el de México, pero que se enfrentaba a un elevado y tenaz desempleo.)

Los mexicanos rechazaron tales opiniones y aseguraron a los inversionistas que su programa económico seguía su camino, que no veían ninguna razón para devaluar el peso y que no tenían intención de hacerlo. Era particularmente importante establecer un buen frente, porque el TLC requería la aprobación del Congreso de Estados Unidos y había tropezado con una fuerte oposición. Ross Perot había advertido del «gran ruido de la succión» que Estados Unidos experimentaría a medida que todos sus puestos de trabajo se desplazasen hacia el sur; voces más autorizadas ofrecieron argumentos que sonaban respetables. Durante 1993, la Administración Clinton, que había heredado el TLC de su predecesor, eliminó todas las interrupciones y con gran dificultad aseguró la aprobación; aunque fue algo bastante reñido, se decidió justo a tiempo.

Porque a lo largo de 1994 algunas cosas importantes comenzaron a ir mal en México. El día de Año Nuevo se produjo una sublevación campesina en el estado de Chiapas, pobre y rural, un área que no había sido afectada ni económica ni políticamente por los cambios que se habían producido en buena parte de México. La estabilidad del gobierno no se vio amenazada, pero el incidente constituía un recordatorio de que los viejos malos hábitos de corrupción y la miseria absoluta en las zonas rurales todavía eran una parte importante de la escena mexicana. Más grave fue el asesinato de Donaldo Colosio, el sucesor designado de Salinas. Colosio era una rara combinación de reformador y político carismático y popular, considerado generalmente como el hombre adecuado para legitimar verdaderamente la nueva manera de hacer las cosas; su asesinato privaba al país de un líder muy necesario y sugería que las fuerzas oscuras (¿jefes políticos corruptos?, ¿señores de la droga?) no querían un reformador fuerte en el poder. El candidato que le sustituyó, Ernesto Zedillo, era un economista formado en Estados Unidos, cuya honestidad e inteligencia no se cuestionaban; pero ¿no era un político ingenuo al que iban a poder intimidar los dinosaurios? Finalmente, en el período preparatorio de las elecciones, el PRI comenzó intentando comprar el apoyo con un derroche moderadamente grande de dinero; algunos de los pesos que emitió fueron convertidos en dólares, lo cual drenó las reservas de divisas.

Zedillo ganó las elecciones, esta vez limpiamente, porque logró convencer a los votantes de que las opiniones populistas de Cárdenas provocarían una crisis financiera. Como me dijo un amigo mexicano, el PRI convenció a los votantes de que a menos que votaran por Zedillo, «lo que tuviera que pasar, pasaría». Porque, desgraciadamente, la crisis financiera se produjo de todos modos.

La crisis tequila

En diciembre de 1994, enfrentadas con un drenaje ininterrumpido de sus reservas de divisas, las autoridades mexicanas tuvieron que decidir lo que debían hacer. Podían detener la pérdida elevando los tipos de interés, haciendo atractivo de ese modo a los residentes mexicanos mantener su dinero en pesos, y tal vez atrayendo también fondos exteriores. Pero ese aumento de los tipos de interés perjudicaría el gasto de empresas y consumidores, y México, después de varios años de crecimiento decepcionante, estaba ya al borde de una recesión. O podían devaluar el peso —reducir su valor en términos de dólares— con la esperanza de que esto tuviera el mismo efecto que en Gran Bretaña dieciséis meses antes. Esto es, una devaluación podría, en el mejor de los casos, no sólo hacer más competitivas las exportaciones de México, sino también convencer a los inversionistas extranjeros de que los activos mexicanos eran un buen valor y, por lo tanto, de hecho, permitir que los tipos de interés bajasen.

México eligió la devaluación. Pero esto arruinó el asunto.

Lo que se supone que va a suceder cuando la moneda de un país se devalúa es que los especuladores digan: «De acuerdo, se acabó», y dejen de apostar a la baja continua de la moneda. Esto fue lo que sucedió en Gran Bretaña y Suecia en 1992. El peligro está en que los especuladores, en cambio, interpreten la primera devaluación como una señal de que va a venir más, y comiencen a especular todo lo que puedan. Para evitarlo, se supone que un gobierno ha de observar determinadas reglas. En primer lugar, si ustedes devalúan, háganlo en una medida que sea suficientemente grande. Si no, están simplemente alimentando expectativas de que habrá más devaluaciones. En segundo lugar, inmediatamente después de la devaluación tienen que dar todas las señales que puedan de que todo está bajo control, de que son personas responsables que comprenden la importancia de tratar correctamente a los inversionistas, y así sucesivamente. De otra forma, la devaluación puede resolverse en dudas acerca de la solidez de su economía y desatarse el pánico.

México quebrantó ambas reglas. La devaluación inicial fue del 15 por 100, sólo la mitad de lo que economistas como Dornbusch habían estado sugiriendo. Y el comportamiento de los funcionarios gubernamentales fue todo menos tranquilizador. El nuevo ministro de Hacienda, Jaime Serra Puche, se mostró arrogante e indiferente a la opinión de los acreedores extranjeros; todavía peor, pronto se vio claramente que algunos hombres de negocios mexicanos habían sido consultados sobre la devaluación antes de que ésta tuviera lugar, con lo cual se les había dado información confidencial que se negaba a los inversionistas extranjeros. La huida masiva de capitales era ahora inevitable y el gobierno mexicano tuvo que dejar pronto de fijar el tipo de cambio.

Sin embargo, Serra Puche fue sustituido rápidamente, y México comenzó a emitir todas las señales correctas; y hubiera podido pensarse que todas las reformas habidas desde 1985 servirían para algo. Pero no fue así: los inversionistas extranjeros se vieron sorprendidos —¡sorprendidos!— por el descubrimiento de que México no era el dechado que había parecido, y quisieron salir a toda costa. Pronto el peso había caído a la mitad de su valor antes de la crisis.

El problema más apremiante era el del propio presupuesto gubernamental. Los gobiernos cuya credibilidad financiera es sospechosa tienen dificultades para vender bonos a largo plazo y por lo general terminan con cantidades sustanciales de deuda a corto plazo, que debe renovarse con frecuencia. México no fue una excepción, y la necesidad de pagar elevados tipos de interés sobre aquella deuda fue una fuente importante de problemas fiscales en los años ochenta. Como hemos visto, uno de los grandes beneficios del acuerdo Brady de 1989 fue que al aumentar la confianza de los inversionistas México pudo renovar su deuda a corto plazo a tipos de interés mucho más bajos. Ahora estas ganancias se habían perdido, y más: en marzo, México estaba pagando un 75 por 100 a fin de persuadir a los inversionistas para que mantuviesen allí su dinero.

Peor todavía, en un esfuerzo por convencer a los mercados de que no devaluaría, México había convertido miles de millones de deuda a corto plazo en los denominados *tesobonos*, los cuales estaban indiciados con el dólar; a medida que el peso se hundía, el tamaño de estas deudas dolarizadas se disparó. Y a medida que el problema del *tesobono* recibía una amplia publicidad, ello no hacía más que reforzar el sentimiento de pánico.

La crisis financiera del gobierno se desbordó pronto y alcanzó el sector privado. Durante el año 1995, el PIB real de México cayó un 7 por 100, su producción industrial un 15 por 100, mucho peor de todo lo que se había visto en Estados Unidos desde los años treinta; ciertamente, mucho peor que la depresión inicial que siguió a la crisis de la deuda de 1982. Miles de negocios quebraron; cientos de miles de trabajadores perdieron sus puestos. La causa concreta de que la crisis financiera tuviera tal efecto devastador en la economía real —y la explicación de por qué el gobierno mexicano no podía, al estilo de la cooperativa de canguros, actuar para evitar aquella depresión— es una cuestión clave. Pero aplacemos esa discusión hasta que tengamos unas cuantas crisis más en nuestro haber.

Lo más alarmante de todo era que la crisis no se limitaba a México. En lugar de ello, el «efecto tequila» se propagó a buena parte del mundo, y en particular a otros países latinoamericanos, especialmente Argentina.

Esto fue una desagradable sorpresa. En primer lugar, Argentina y México son los extremos opuestos de Latinoamérica, con poco comercio directo o vínculos financieros. Además, se suponía que el sistema de junta monetaria de Argentina hacía invulnerable la credibilidad de *su* peso. ¿Cómo podía alcanzarle la crisis de México?

Tal vez Argentina fue atacada porque para los inversionistas yanquis todas las naciones latinoamericanas son iguales. Pero una vez comenzada la especulación contra el peso argentino, se vio claro que la junta monetaria no proporcionaba el tipo de aislamiento que sus creadores habían esperado. Ciertamente, cada peso en circulación estaba respaldado por un dólar de reservas, por lo que en un sentido mecánico el país podía defender siempre el valor del peso. Pero ¿qué sucedería cuando el público, racionalmente o no, comenzara a cambiar grandes cantidades de pesos por dólares? La respuesta subsiguiente fue que los bancos del país se acercaron rápidamente al borde del colapso y amenazaron con hundir al resto de la economía con ellos.

He aquí cómo sucedió: supongamos que un ejecutivo de préstamos de Nueva York, nervioso por las noticias que llegan de México, decide que es mejor que reduzca su riesgo latinoamericano; y que no vale la pena explicarle a su jefe que, como observó una vez Ronald Reagan, «todos son países diferentes». Así que dice a un cliente argentino que su línea de crédito no será renovada y que su saldo pendiente tiene que ser reembolsado. El cliente retira los pesos necesarios de su banco local y los convierte en dólares sin problemas, porque el banco central dispone de ellos en abundancia. Pero el banco argentino tiene ahora que reponer sus reservas de caja; de modo que reclama un préstamo a un hombre de negocios argentino.

Aquí es donde empiezan las dificultades. Para devolver su préstamo, la empresa debe adquirir pesos, los cuales probablemente serán retirados de una cuenta en algún otro banco argentino; el cual, por tanto, tendrá que reclamar la devolución de algunos préstamos, lo que llevará a más retiradas de bancos y a reducciones adicionales del crédito. En otras palabras, la reducción inicial del préstamo procedente del exterior tendrá un efecto *multiplicado* en Argentina: cada dólar de reducción del crédito de Nueva York conduce a varios pesos de préstamos reclamados en Buenos Aires.

Y a medida que se contrae el crédito, la situación económica en Argentina comienza a ser problemática. Las empresas tienen dificultades para devolver sus préstamos a corto plazo, tanto más cuanto que sus clientes se encuentran también bajo presión financiera. Los depositantes empiezan a preguntarse si los bancos pueden realmente cobrar de sus clientes, y comienzan a sacar su dinero y a guardarlo en un cajón, con lo cual endurecen aún más las condiciones crediticias…, y es así como tenemos el comienzo de la clase de círculo vicioso de crisis del crédito y pánico bancario que asoló la economía de Estados Unidos en 1930-1931.

Ahora bien, los países modernos poseen mecanismos para defenderse de ese tipo de cosas. Ante todo, los depósitos están asegurados por el gobierno, de modo que se supone que los depositantes no tienen por qué preocuparse. En segundo lugar, el banco central está preparado para actuar como «prestamista en última instancia», proporcionando rápidamente liquidez a los bancos para que no se vean obligados a utilizar métodos desesperados y onerosos con los cuales poder hacer frente a las demandas de los depositantes. Argentina habría podido de este modo cortar de raíz este proceso.

Pero las cosas no eran tan fáciles. Los depositantes argentinos pueden haber creído que sus pesos se encontraban fuera de peligro, pero ellos estaban menos seguros de que pudieran mantener su valor en dólares; de manera que deseaban asegurarse cambiándolos por dólares ahora, a modo de precaución. ¡Y el banco central no podía actuar como prestamista en última instancia, porque tenía prohibido emitir nuevos pesos, excepto a cambio de dólares! Las mismas reglas diseñadas para proteger al sistema de un tipo de crisis de confianza lo dejaron vulnerable a otro tipo de crisis.

Entonces, a principios de 1995, México y Argentina pasaron repentinamente de la euforia al terror: parecía del todo probable que los experimentos reformistas en ambos países acabarían en un hundimiento desastroso.

EL GRAN RESCATE

Lo que Latinoamérica necesitaba, urgentemente, eran dólares: dólares con los que México pudiera reembolsar los *tesobonos* a medida que fueran pagaderos, dólares que hubieran permitido a Argentina emitir pesos y prestarlos a sus bancos.

El paquete mexicano era el mayor, el más urgente y políticamente el más difícil de los dos. Mientras gran parte del dinero vino de las agencias internacionales como el Fondo Monetario Internacional, Europa y Japón vieron el rescate mexicano como un asunto principalmente de Estados Unidos, y éstos, por tanto, tenían que proporcionar una enorme cantidad de dinero. Desgraciadamente, había fuerzas políticas poderosas que militaban contra cualquier tipo de rescate. Aquellos que se habían opuesto amargamente al TLC vieron la crisis mexicana como una justificación y no estuvieron dispuestos a aceptar que el dinero de los contribuyentes se utilizara para echar un cable a los mexicanos y a los banqueros que les habían prestado dinero. Entretanto, a los conservadores no les agradó en absoluto la idea de que los gobiernos interviniesen para respaldar a los mercados, y particularmente les disgustó el papel del Fondo Monetario Internacional, que ellos consideraban como un paso en el camino hacia el gobierno mundial. Pronto se vio claramente que el Congreso de Estados Unidos no aprobaría ninguna asignación de fondos para el rescate mexicano.

Afortunadamente, resultó que el Tesoro americano puede hacer un uso discrecional del Fondo de Estabilización de Cambios (Exchange Stabilization Fund, ESF), una reserva de dinero para intervenciones de emergencia en los mercados de divisas. El propósito de la legislación que constituyó el fondo era claramente estabilizar el valor del *dólar*; pero el lenguaje legal no decía realmente eso. Así que, con admirable creatividad, el Tesoro lo utilizó en cambio para estabilizar el peso. Entre el ESF y otras fuentes, México dispuso rápidamente de una notable línea de crédito de 50.000 millones de dólares; y después de varios meses de infarto, la situación financiera comenzó efectivamente a estabilizarse.

El rescate de perfil más bajo de Argentina vino a través del Banco Mundial, que puso 12.000 millones de dólares para respaldar a los bancos de la nación.

Los rescates de México y Argentina no evitaron una contracción económica muy severa, considerablemente peor, en efecto, que la que tuvo lugar el primer año de la crisis de la deuda de los años ochenta. Pero a finales de 1995, los inversionistas comenzaron a tranquilizarse, a creer que tal vez, a pesar de todo, los países no iban al colapso. Los tipos de interés descendieron; el gasto comenzó a reanimarse; y pronto México y Argentina experimentaron una rápida recuperación. Para miles de hombres de negocios y millones de trabajadores, la crisis había sido devastadora; pero terminó antes de lo que muchos habían temido o esperado.

APRENDIENDO DE LAS LECCIONES EQUIVOCADAS

Dos años después de la crisis tequila, parecía como si todo hubiera vuelto a su cauce. Tanto México como Argentina experimentaban una fase de prosperidad; a aquellos inversionistas que mantuvieron la sangre fría les fue ciertamente muy bien. Y así, de modo perverso, lo que podría haber sido visto como una advertencia, en cambio, hasta se convirtió en fuente de satisfacción. Mientras que pocas personas aprovecharon las lecciones extraídas explícitamente de la crisis latinoamericana, un resumen informal de la sabiduría convencional después de la crisis tequila podría haber sido el que se expone a continuación.

En primer lugar, la crisis tequila no tuvo que ver con la manera en que funciona el mundo en general: fue un caso esencialmente mexicano. Fue provocado por los errores de la política mexicana; sobre todo por permitir que su moneda se sobrevalorase y su crédito se expansionase en lugar de restringirse cuando comenzó la especulación contra el peso, y realizar la propia devaluación de una manera que desanimó a los inversionistas. Y la profundidad de la depresión que siguió tuvo que ver principalmente con la economía política especialmente delicada de la situación mexicana, con su herencia todavía no resuelta de populismo y antiamericanismo, de un modo que podríamos decir que la depresión era un castigo por el fraude en las elecciones de 1988.

La lección, en pocas palabras, fue que la debacle mexicana era de escasa relevancia para el resto del mundo. Es cierto que la crisis se había desbordado al resto de Latinoamérica, pero la relación de Argentina con el colapso financiero de algún modo no quedó plenamente grabada en la atención del mundo, tal vez porque fue seguida por una fuerte recuperación. Y seguramente la crisis tequila no se reproduciría en las economías bien organizadas sin una historia de populismo macroeconómico, países como las economías del milagro de Asia.

La otra lección no tenía que ver con México, sino con Washington: esto es, con el Fondo Monetario Internacional y con el Departamento del Tesoro de Estados Unidos. Lo que la crisis parecía demostrar era que Washington tenía las cosas bajo control: que tenía los recursos y el conocimiento para contener incluso crisis financieras graves. En favor de México se movilizó rápidamente una ayuda enorme, que consiguió el resultado apetecido. En lugar de los siete años de vacas flacas de los ochenta, la crisis tequila fue superada en año y medio. Parecía estar claro que las personas responsables habían afrontado mejor este tipo de cosas.

Cuatro años después de comenzar la crisis tequila, con la terrible experiencia de las noticias asiáticas en nuestra memoria y con la economía de Brasil entrando en una barrena fuera de control, estaba claro que aprendimos de las lecciones equivocadas de Latinoamérica.

La que debíamos habernos planteado era la pregunta formulada en muchas reuniones por el economista Guillermo Calvo, del Banco Mundial, y más tarde de la Universidad de Maryland: «¿Por qué fue tan grande el castigo impuesto por un delito tan pequeño?». En las condiciones que resultaron de la crisis tequila era demasiado fácil revisar las políticas seguidas por México en el período previo a esa crisis, y constatar que estaban plagadas de errores; pero el caso fue que en aquel momento parecían bastante buenas, e incluso después de los hechos era difícil encontrar algún paso equivocado suficientemente grande para justificar la catástrofe económica de 1995. Debiéramos habernos tomado a pecho la pregunta de Calvo, con su implicación de que hubo mecanismos que transformaron los errores políticos menores en desastres económicos mayores. Tendríamos que haber considerado con mayor atención los argumentos de algunos comentaristas en el sentido de que en realidad no había errores graves en absoluto, excepto en la breve serie de torpezas que llevaron a México al lado erróneo de las percepciones del mercado, y a poner en marcha un proceso de pánico autosostenido. Y por tanto también nos habríamos percatado de que lo que estaba sucediendo en México podía suceder en otras partes, de que el aparente éxito de una economía, la admiración de los mercados y de los medios por sus dirigentes no eran garantía de que la economía fuera inmune a crisis financieras repentinas.

Retrospectivamente también está claro que dimos demasiado crédito a «Washington», al FMI y al Tesoro. Era verdad que actuaron valiente y decididamente, y que los resultados habían sido una justificación. Pero, en un examen concienzudo, los presagios no eran tan buenos como para repetirlo. En primer lugar, la movilización del dinero se consiguió por medio de lo que representó un juego de manos legal, justificado principalmente por la especial significación de México para los intereses norteamericanos; el dinero no vendría tan deprisa o con tanta facilidad en crisis posteriores. El rescate mexicano también fue menos complicado por la cooperación del gobierno mexicano: la gente de Zedillo no tenía orgullo que hubiera de ser humillado —no con la historia de México— y estaba en completo acuerdo con Washington sobre lo que había que hacer. El trato con los países asiáticos que habían estado acostumbrados a negociar desde una posición de fuerza, y con los líderes asiáticos habituados a que las cosas siguieran su propio camino, sería muy diferente.

Tal vez, más que nada, no logramos entender la medida en la que México y Washington simplemente tuvieron suerte. El rescate no fue realmente un plan bien considerado que se aplicase a la esencia de la crisis: fue una inyección de liquidez de emergencia a un gobierno asediado, que asumió su parte adoptando dolorosas medidas, menos a causa de que estuvieran claramente relacionadas con los problemas económicos que porque, demostrando la seriedad del gobierno, podrían restaurar la confianza del mercado. Tuvieron éxito, aunque sólo después de que la economía hubiera sido castigada severamente; pero no existía ninguna buena razón para suponer que tal estrategia funcionara la próxima vez.

Y así, nadie estaba preparado para la aparición de una nueva crisis de estilo tequila en Asia o para la ineficacia de un rescate de estilo mexicano cuando vino aquella crisis. Lo curioso acerca de nuestra inconsciencia fue que la mayor economía de Asia ya se encontraba en serias dificultades; y estaba haciendo un trabajo notablemente malo al ocuparse de sus propios asuntos.

3

La trampa japonesa

PARECE QUE FUE AYER CUANDO los norteamericanos estaban obsesionados con Japón. Los éxitos de la industria japonesa inspiraban admiración y temor; uno no podía entrar en la librería de un aeropuerto sin encontrarse con hileras de portadas que representaban soles nacientes y guerreros samuráis. Algunos de estos libros prometían enseñar los secretos del *management* japonés; otros predecían (o exigían) la guerra económica. Como modelos que imitar o como demonios, o como ambas cosas a la vez, los japoneses ocupaban a menudo nuestras mentes.

Ahora todo eso ha pasado. Existe una agitación poco frecuente de emoción mezclada con un malsano placer ante la desgracia ajena, a medida que quiebra otro gran banco japonés, o el índice Nikkei cae de nuevo en unos pocos puntos porcentuales. Pero en general hemos perdido interés. El público parece haber llegado a la conclusión de que después de todo ellos no eran tan fuertes, así que ahora podemos ignorarlos.

Esto es absurdo. Los fracasos de Japón son tan significativos para nosotros como sus éxitos. Lo que le ha sucedido a Japón es tanto una tragedia como un presagio. La segunda mayor economía del mundo disfruta todavía de las ventajas de contar con unos trabajadores bien formados y bien dispuestos, un *stock* de capital moderno y unos conocimientos técnicos impresionantes. Tiene un gobierno estable, que recauda sin dificultad los impuestos; a diferencia de Latinoamérica, o de las economías asiáticas más pequeñas, es un país acreedor, que no depende de la buena voluntad de los inversionistas extranjeros. Y la misma dimensión de su economía, que hace que sus productores vendan principalmente en el mercado interior, tiene que darle a Japón —como a Estados Unidos— una libertad de acción que se niega a los países más pequeños.

Con todo, Japón ha transcurrido la mayor parte de la última década en una depresión, alternando con breves e inadecuados períodos de crecimiento económico con recesiones siempre profundas. En otro tiempo campeona del crecimiento del mundo avanzado, en 1998 la industria japonesa produjo menos de lo que había producido en 1991. Y peor incluso que las mismas realizaciones es el sentido de fatalismo e impotencia. El público japonés ya no parece esperar que sus dirigentes económicos le den la vuelta a la situación, ni estos mismos dirigentes parecen creer que puedan hacer mucho al respecto.

Esto es una tragedia: una gran economía como ésta no merece ni tiene por qué estar en una permanente depresión. Los males de Japón no son tan agudos como los de otros países asiáticos, pero se han prolongado demasiado, con mucha menor justificación. También es un presagio: si les puede pasar a ellos, ¿quién puede decir que no nos pueda pasar a nosotros?

¿Cómo pasó?

JAPÓN COMO NÚMERO UNO

Ningún país —ni siquiera la Unión Soviética en los días de los planes quinquenales de Stalin— experimentó nunca una transformación económica tan pasmosa como la que Japón llevó a cabo en los años de elevado crecimiento de 1953 a 1973. En el espacio de dos décadas un país en gran medida agrícola se convirtió en el mayor exportador de acero y de automóviles del mundo, el gran Tokio llegó a ser la mayor y posiblemente la más vibrante área metropolitana del mundo y el nivel de vida realizó un salto enorme.

Algunos occidentales lo advirtieron. Ya en 1969 el futurólogo Herman Kahn publicó *The Emerging Japanese Superstate,* y predijo que las elevadas tasas de crecimiento de Japón lo convertirían en la primera economía mundial hacia el año 2000. Pero no fue hasta los últimos años setenta —en torno a la época en la que Ezra Vogel escribió su *Japan as Number One,* un *best seller*— cuando el público más amplio cayó en la cuenta de lo mucho que Japón realmente había conseguido. A medida que sofisticados productos japoneses —sobre todo automóviles y electrónica de consumo— inundaban los mercados occidentales, la gente comenzó a preguntarse por el secreto del éxito japonés.

Hay una cierta ironía en el ritmo del gran debate sobre Japón. Lo gracioso es que la época heroica del crecimiento económico japonés acabó justo cuando los occidentales empezaban a tomarse en serio a Japón. En los primeros años setenta, por razones que son todavía un poco misteriosas, el crecimiento se ralentizó en todo el mundo avanzado. Japón, que había tenido la tasa de crecimiento más alta, también experimentó el mayor descenso: del 9 por 100 anual en los años sesenta a menos del 4 por 100 después de 1973. Aunque esta tasa era todavía más alta que la de cualquier otro país avanzado (de nuevo la mitad de la de Estados Unidos), a ese ritmo la fecha de emergencia de Japón como la primera economía mundial tendría que aplazarse hasta bien entrado el siglo XXI. Sin embargo, el comportamiento del crecimiento japonés era, literalmente, la envidia de los demás países. Muchas personas argumentaban no sólo que Japón había descubierto una vía mejor para que su economía funcionase, sino que su éxito tenía lugar, por lo menos en parte, a costa de los ingenuos competidores occidentales.

No tenemos necesidad de repetir aquí todo el debate sobre las causas del éxito japonés. Básicamente, hubo dos partes. Una de ellas explicaba el crecimiento como producto de unos buenos fundamentos, sobre todo una buena educación básica y una tasa de ahorro alta, y —como siempre— también se embarcaba en un poco de sociología *amateur* para explicar por qué Japón era tan bueno en la fabricación de productos de alta calidad a bajo coste. La otra parte argumentaba que Japón había desarrollado un sistema económico fundamentalmente diferente, una forma nueva y superior de capitalismo. Y el debate sobre Japón se convirtió también en un debate sobre economía, sobre la validez del pensamiento económico occidental en general y las virtudes de los mercados libres en particular.

Un elemento del supuestamente superior sistema japonés era la dirección gubernamental. En los años cincuenta y sesenta el gobierno japonés —tanto el famoso Ministerio de Comercio Internacional e Industria (Ministry of International Trade and Industry, MITI) como el silencioso aunque más influyente ministerio de Hacienda— desempeñó un destacado papel en la dirección de la economía. Préstamos bancarios y licencias de importación fluyeron hacia las industrias y empresas favorecidas; el crecimiento de la economía fue canalizado, por lo menos en parte, por los planes estratégicos del gobierno. En la época en la que Occidente se fijaba realmente en Japón, el dominio del gobierno se había suavizado mucho; pero la imagen de «Japón Inc.», una economía centralmente dirigida empeñada en dominar los mercados mundiales, seguía teniendo fuerza en los años noventa.

Otro elemento del estilo económico propio de Japón era el aislamiento de las grandes compañías respecto de las presiones financieras a corto plazo. Era característico de los miembros de los *keiretsu* japoneses —grupos de empresas aliadas organizadas alrededor de un banco importante— que poseyeran cantidades sustanciales de las acciones de cada una de ellas, lo cual significaba que la dirección fuera en gran medida independiente de los accionistas externos. Las compañías japonesas no se preocupaban demasiado por las cotizaciones de las acciones, ni por la confianza del mercado, dado que raramente se financiaban vendiendo sus acciones o bonos; en lugar de ello, el banco principal les prestaba el dinero que necesitaban. Así que las empresas japonesas no tenían que preocuparse por la rentabilidad a corto plazo, ni desde luego tenían que preocuparse en absoluto de la rentabilidad. Uno podría haber pensado que la condición financiera del banco disciplinaría en último término la inversión de los *keiretsu:* si los préstamos parecían poco seguros, ¿no empezaría a perder depositantes el banco? Pero en Japón, como en muchos países, los depositantes creían que el gobierno nunca les dejaría perder sus ahorros, de modo que prestaron poca atención a lo que los bancos hacían con su dinero.

El resultado de este sistema, defendido por los que lo admiraban y por los que lo temían, fue un país capaz de adoptar una visión a largo plazo. Una por una, el gobierno japonés elegía las industrias «estratégicas», aquellas que podían servir como motores del crecimiento. El sector privado sería guiado hacia aquellas industrias, ayudadas durante un período inicial de protección ante la competencia extranjera, durante el cual la industria podría afinar sus habilidades en el mercado interior. Después vendría el gran dinamismo exportador, durante el cual las empresas ignorarían la rentabilidad mientras lograran cuota de mercado y desplazaran a sus competidores extranjeros del terreno. Con el tiempo, asegurado su dominio de la industria, Japón se movería hacia el siguiente paso. Acero, automóviles, cintas de vídeo, semiconductores; pronto serían ordenadores y aviones.

Los escépticos discutirían muchos de los detalles de esta relación. Pero incluso aquellos que absolvían a Japón de la acusación de comportamiento depredador y cuestionaban que los expertos del MITI fueran realmente tan astutos como se decía, tendieron a estar de acuerdo en que las características distintivas del sistema japonés debían de tener algo que ver con su éxito. Sólo mucho más tarde aquellas mismas características distintivas —la relación cómoda entre gobierno y negocios, la extensión del crédito fácil por medio de los bancos garantizados por el gobierno a las empresas estrechamente afines— vendrían a ser calificadas como capitalismo de compadrazgo y vistas como la raíz del malestar económico.

Pero la debilidad del sistema era realmente evidente a finales de los años ochenta para cualquiera que quisiera verlo.

BURBUJA, ESFUERZO Y DIFICULTAD

A principios de 1990, la capitalización del mercado de Japón —el valor total de todas las acciones de todas las compañías del país— era mayor que la de Estados Unidos, que tenían el doble de población que Japón y más del doble de su producto interior bruto. La tierra, que nunca fue barata en el superpoblado Japón, se había encarecido de forma increíble: se ha citado ampliamente el supuesto hecho de que el suelo correspondiente a la milla cuadrada del Palacio Imperial de Tokio valía más que todo el estado de California. Bienvenido a la «economía burbuja», el equivalente japonés de los «felices veinte».

Los últimos años de los ochenta fueron una época de prosperidad para Japón, de crecimiento rápido, desempleo bajo y elevados beneficios. Sin embargo, no había nada en los datos económicos subyacentes que justificara la triplicación de los precios de la tierra y de las acciones a finales de los ochenta. Incluso en aquel momento, muchos observadores pensaban que había algo maníaco e irracional en el auge financiero; que las compañías tradicionales en industrias que crecían lentamente no debían valorarse como acciones cuyo valor se espera que crezca de forma sostenida, con ratios precio-beneficio de 60 o más. Pero como sucede tan a menudo en los mercados maníacos, los escépticos no tuvieron los recursos o el valor para respaldar su falta de convicción; la sabiduría convencional halló toda clase de justificaciones para los precios que estaban por las nubes.

Las burbujas financieras no son nada nuevo. Desde la manía de los tulipanes hasta la manía Internet, incluso a los inversionistas más prudentes les ha sido difícil no dejarse llevar por el impulso de las circunstancias y pensar en el futuro, cuando todo el mundo se está enriqueciendo. Pero dada la reputación del japonés para el pensamiento estratégico a largo plazo, y la percepción común de que Japón Inc. se parecía más a una economía planificada que a un mercado libre a barullo, la amplitud de la burbuja sigue siendo algo sorprendente.

Resulta que la fama de clarividencia de Japón, de inversión socialmente controlada, ha exagerado siempre la realidad. En lo que uno puede recordar, los especuladores inmobiliarios, obteniendo a menudo un margen extra por medio de los pagos a políticos, y otro margen extra a través de las conexiones con los *yakuza,* han sido una parte importante de la escena japonesa. Las inversiones inmobiliarias especulativas estuvieron a punto de provocar una crisis bancaria en los años setenta; la situación sólo se salvó mediante un brote de inflación, que redujo el valor real de las deudas de los especuladores y convirtió nuevamente en buenos los malos préstamos. Sin embargo, la gran dimensión de la burbuja japonesa fue asombrosa. ¿Había alguna explicación del fenómeno que fuera más allá de la simple psicología colectiva?

Bien, resulta que la burbuja japonesa fue sólo uno de los varios estallidos de fiebre especulativa en el mundo durante los años ochenta. Todos estos estallidos tenían la característica común de que fueron financiados principalmente con préstamos bancarios, en particular, que instituciones tradicionalmente serias comenzaron ofreciendo crédito a los amantes del riesgo, incluso a operadores sospechosos, a cambio de unos tipos de interés algo superiores a los del mercado. El caso más famoso fue el de las sociedades de préstamo inmobiliario norteamericanas, instituciones cuya imagen pública solía definirse por la seriedad típicamente norteamericana del banquero de una pequeña ciudad de Jimmy Stewart en *It's a Wonderful Life*, pero que en los años ochenta llegó a identificarse, en cambio, con los adinerados magnates inmobiliarios de Texas. Pero estallidos semejantes de préstamos de dudosa solvencia se producían en otras partes, sobre todo en Suecia, otro país que, por lo general, no se identificaba con la fiebre especulativa. Y los economistas han argumentado largamente que detrás de tales episodios subyace el mismo principio económico: uno de aquellos principios que, como el modelo básico de los canguros para explicar una recesión, reaparecerá varias veces en este libro. El principio es conocido como riesgo moral.

El término «riesgo moral» tiene sus orígenes en el sector de los seguros. En concreto, los proveedores de seguros contra incendios se dieron cuenta muy pronto de que los propietarios que aseguraban sus propiedades ante el riesgo de pérdida total mostraban una interesante tendencia a padecer incendios destructivos, sobre todo cuando un cambio en las condiciones había reducido el probable valor de mercado de su edificio a un importe menor que la cobertura del seguro. (A mediados de los años ochenta, la ciudad de Nueva York tenía varios conocidos propietarios «propensos al incendio provocado», algunos de los cuales compraban un edificio a un precio hinchado a una falsa compañía que ellos mismos poseían, utilizaban ese precio como base de una gran póliza de seguro; después sucedía que tenía lugar un incendio. Riesgo moral, en efecto.) Con el tiempo, el término vino a referirse a cualquier situación en la que una persona decide el volumen de riesgo que quiere asumir, mientras otra soporta el coste si las cosas van mal.

Es intrínsecamente probable que el dinero tomado en préstamo produzca riesgo moral. Supongamos que yo fuera un tipo elegante, pero sin capital, y que basándose en mi evidente inteligencia usted decide prestarme mil millones de dólares para invertir de cualquier manera en lo que a mí me parezca conveniente, mientras prometa devolverlo dentro de un año. Aunque usted me cargue un tipo de interés alto, éste es un buen trato: yo tomaré los mil millones, los colocaré en algo que *podría* producir mucho dinero, pero igual podría terminar sin ningún valor, y a esperar lo mejor. Si la inversión prospera, prosperaré yo; si no prospera, me declararé en quiebra y desapareceré. Cara, yo gano; cruz, usted pierde.

Por supuesto, es por esto por lo que nadie prestará a alguien sin capital propio mil millones de dólares para invertir en lo que le parezca conveniente, sin importar lo elegante que pueda parecer. Normalmente, los acreedores establecen restricciones sobre lo que los prestatarios pueden hacer con el dinero que puedan prestarles; y los prestatarios están también normalmente obligados a poner cantidades sustanciales de su propio dinero, a fin de darles una buena razón para evitar las pérdidas.

Algunas veces, los prestamistas parecen olvidarse de estas reglas, y prestan grandes sumas sin preguntar a la gente que hace una buena exhibición de conocimientos qué es lo que están haciendo; veremos la asombrosa historia de los *hedge funds* en el capítulo 6. Otras veces, la exigencia de que el prestatario ponga una cantidad suficiente de su dinero puede ser una fuente de inestabilidad del mercado. Cuando los activos pierden valor, aquellos que los compraron con dinero prestado pueden enfrentarse con un *margin call*, es decir, que deben poner más de su dinero o reembolsar a sus acreedores vendiéndoles los activos, de manera que consigan hacer descender aún más los precios; éste es un proceso que ha ocupado un lugar central en las crisis financieras de los dos últimos años. Pero, dejando a un lado tales patologías del mercado, existe otra razón, más sistemática, para que las reglas se quiebren a veces: porque el juego de riesgo moral se juega a costa de los contribuyentes.

Recuérdese lo que dije acerca de los principales bancos del *keiretsu* japonés: que sus depositantes creen que sus depósitos están seguros, porque el gobierno los respalda. Lo mismo es cierto de casi todos los bancos del Primer Mundo, y de muchos bancos en otras partes. Los países modernos, aun en el caso de no garantizar explícitamente los depósitos, no tienen valor para dejar que las viudas y los huérfanos pierdan los ahorros de toda su vida simplemente porque los pusieron en el banco equivocado, del mismo modo que no pueden quedar al margen cuando el río desbordado arrastra las casas construidas imprudentemente en la llanura expuesta a las inundaciones del mismo río. Sólo los conservadores más duros desearían que fuese de otra manera; pero el resultado es que las personas no tienen cuidado de dónde construyen sus casas y todavía tienen menos cuando se trata de colocar su dinero.

Este descuido ofrece una buena oportunidad a un hombre de negocios que carezca de escrúpulos. Usted abre un banco, asegurándose de que tenga un edificio impresionante y un nombre imaginativo. Atrae muchos depósitos, pagando un buen interés si puede, ofreciendo tostadoras o lo que se tercie. Después presta el dinero, a tipos de interés elevados, a especuladores adinerados (preferiblemente amigos suyos, o tal vez incluso a usted mismo, detrás de una fachada corporativa diferente). Los depositantes no le preguntarán sobre la calidad de sus inversiones, porque saben que en cualquier caso están protegidos. Y ahora usted tiene una única opción: si las inversiones van bien, se hace rico; si van mal, usted puede simplemente desaparecer y dejar que el gobierno resuelva el lío.

De acuerdo, eso no es fácil, porque los reguladores gubernamentales no son completamente estúpidos. De hecho, desde los años treinta hasta los ochenta este tipo de comportamiento era rarísimo entre los banqueros, porque los reguladores hacían más o menos las mismas cosas que haría un prestamista privado antes de poner en mis manos mil millones de dólares para jugar con ellos. Restringían lo que los bancos podían hacer con el dinero de los depositantes, en un esfuerzo para evitar una excesiva asunción de riesgos. Exigían que los propietarios de los bancos comprometieran cantidades sustanciales de su propio dinero, por medio de los requisitos relativos al capital. Y en una medida más sutil, y tal vez sin querer, los reguladores han limitado históricamente el volumen de la competencia entre bancos, haciendo que una licencia bancaria sea una cosa valiosa en sí misma, poseedora de un considerable «valor de franquicia»; los concesionarios de las licencias estaban poco dispuestos a arriesgar este valor de franquicia asumiendo riesgos que pudieran provocar la quiebra del banco.

Pero en los años ochenta estas restricciones cedieron en muchos lugares. La principal causa fue la desregulación. Los bancos tradicionales eran seguros, pero también muy conservadores; puede sostenerse que dejaron de dirigir el capital a sus usos más productivos. El remedio, argumentaron los reformadores, consistía en más libertad y más competencia: «Dejad que los bancos presten donde mejor les parezca y dejad que haya más participantes para competir por los ahorros del público», dijeron. De algún modo se olvidó que esto daría a los bancos más libertad para asumir riesgos de mala calidad y que, reduciendo su valor de franquicia, les reduciría el incentivo para evitarlos. Los cambios en el mercado, especialmente el ascenso de fuentes alternativas de finanzas corporativas, erosionaron aún más los márgenes de beneficio de los banqueros que se apegaban a lo seguro, al viejo estilo de hacer negocios.

Y así en los años ochenta se produjo una especie de epidemia global de riesgo moral. Pocos países pueden sentirse orgullosos de su manejo de la situación; es seguro que Estados Unidos no puede, dado que su mala administración del tema de los préstamos y ahorros constituyó un caso clásico de política imprudente, miope y en ocasiones corrupta. Pero Japón, donde todas las líneas habituales —entre el gobierno y los negocios, entre los bancos y sus clientes, entre lo que estaba y lo que no estaba sujeto a la garantía gubernamental— eran especialmente difusas, se adaptaba especialmente mal a un régimen financiero demasiado libre. Los bancos de Japón prestaban más, atendiendo menos a la calidad del prestatario, que ningún otro; y al hacerlo así contribuyeron a hinchar la economía burbuja hasta unas proporciones grotescas.

Tarde o temprano, tales burbujas pinchan. Resultó que el estallido de la burbuja japonesa no fue enteramente espontáneo: el Banco de Japón, implicado en excesos especulativos, comenzó a elevar los tipos de interés en 1990, en un esfuerzo por deshinchar un poco el globo. Al principio, esta política no tuvo éxito; pero a principios de 1991 los precios de la tierra y las cotizaciones de las acciones iniciaron una brusca disminución, que en pocos años los llevó a un 60 por 100 por debajo de su punto máximo.

En un principio, y ciertamente durante algunos años después, las autoridades japonesas consideraron todo esto como saludable: una vuelta a valoraciones de los activos más prudentes y realistas. Pero poco a poco se hizo evidente que el final de la economía burbuja no había traído la salud económica, sino un malestar cada vez más profundo.

UNA DEPRESIÓN FURTIVA

A diferencia de México en 1995, o de Corea del Sur en 1998, Japón no ha experimentado jamás (¿todavía?) un año de declive económico inequívoco y catastrófico. En los ocho años transcurridos desde el estallido de la burbuja, el PIB real de Japón se ha reducido solamente en dos años. El desempleo ha aumentado sólo paulatinamente, y no parece aún muy alto con respecto a los niveles occidentales (aunque ésta es en gran parte una cuestión de medida: cuando las mujeres o los trabajadores de mayor edad, que son los últimos en ser contratados y los primeros en ser despedidos en Japón, no logran encontrar trabajo, no se les considera por lo general como parados; según las normas norteamericanas, Japón tendría probablemente ahora una tasa de desempleo próxima al 10 por 100).

Pero año tras año el crecimiento no sólo no alcanzaba el nivel de la experiencia anterior de la economía, sino de cualquier estimación razonable del crecimiento de su capacidad. Después de 1991, sólo en un año, Japón creció tan deprisa como lo había hecho en un año *medio* de la década anterior. E incluso si usted pensaba que la tasa de crecimiento del producto «potencial» de Japón —el producto que podría haber producido con el pleno empleo de sus recursos— ha caído bruscamente a la mitad de su nivel anterior de 1991, esa breve explosión del crecimiento en 1996 fue también el único año en el que el producto real creció tan deprisa como el potencial.

Los economistas tienen una de sus expresiones desagradables que se adapta a las mil maravillas a lo que Japón estaba experimentando: una «recesión del crecimiento». Una recesión del crecimiento es lo que sucede cuando una economía crece, pero no con la suficiente rapidez para utilizar el aumento de su capacidad, de manera que se incrementa cada vez más el número de obreros y máquinas que están ociosos. Normalmente las recesiones del crecimiento son más bien raras, porque tanto los auges como las depresiones tienden a adquirir impulso, y se produce un crecimiento rápido o una nítida decadencia. Sin embargo, Japón ha experimentado esencialmente una recesión del crecimiento que ha durado ocho años, lo que le ha situado tan por debajo de donde debiera estar que se encuentra a un paso de un nuevo fenómeno: una depresión del crecimiento.

La lentitud con la que la economía de Japón se ha deteriorado es en sí misma una fuente de mucha confusión. Puesto que la depresión se extendía silenciosamente por el país, no hubo nunca un momento (hasta el año pasado) en el que el público pidiese a voces que el gobierno hiciera algo drástico. Puesto que el motor económico de Japón perdió fuerza poco a poco, en lugar de comenzar a chirriar y luego pararse, el propio gobierno ha asumido en consecuencia la disminución del éxito, y ha considerado la continuación del crecimiento de la economía como una justificación de sus políticas, aun cuando ese crecimiento era muy inferior al que podía y debía haberse conseguido. (En el momento de escribir esto, los funcionarios japoneses están pregonando como un éxito —por medio de un notable gasto en obras públicas— el generar crecimiento ligeramente positivo durante el cuarto trimestre de 1998, como si ello representara un cambio fundamental.) Y al mismo tiempo, tanto los analistas japoneses como los extranjeros han tendido a suponer que puesto que Japón ha crecido tan despacio durante tanto tiempo, *no puede* crecer más deprisa.

De modo que las políticas económicas de Japón han venido marcadas por una singular combinación de autosatisfacción y fatalismo, y por una evidente desgana para pensar en serio sobre cómo pueden haber ido tan mal las cosas.

LA TRAMPA DE JAPÓN

No hay nada misterioso en el comienzo de la depresión de 1991 en Japón: tarde o temprano, la burbuja financiera tenía que pinchar, y cuando lo hiciera tenía que provocar una disminución de la inversión y del consumo, y, por lo tanto, de la demanda global. Si la Bolsa estadounidense tuviera que entrar en crisis mañana (si no lo ha hecho ya cuando se publique este libro), el efecto sería probablemente una reducción del ritmo de crecimiento, tal vez incluso una breve recesión en la economía de Estados Unidos. Sin embargo, la palabra clave es «breve»: seguramente Alan Greenspan haría lo que fuera necesario para que la economía se animase de nuevo. E incluso es más seguro que no existiera ninguna razón para ser fatalista a propósito de esta situación ni para considerar una prolongada amenaza de los excesos anteriores como algo inevitable.

Es hora de volver a la historia de la cooperativa de canguros. Supongamos que la Bolsa de Estados Unidos fuera a entrar en crisis y amenazara con socavar la confianza de los consumidores. ¿Significaría esto inevitablemente una recesión desastrosa? Considérelo de esta manera: cuando disminuye la confianza de los consumi-

dores es como si por alguna razón el típico miembro de la cooperativa tuviera menos ganas de salir y más deseos de acumular cupones para un día de lluvia. Esto podría llevar efectivamente a una
depresión, pero no necesariamente si la dirección estuviera alerta
y respondiera simplemente emitiendo más cupones. Esto es exactamente lo que nuestro emisor jefe de cupones, Alan Greenspan,
hizo en 1987, y lo que creo que haría de nuevo.

O supongamos que el emisor de los cupones no respondiera con
la suficiente rapidez y que la economía cayera efectivamente en una
depresión. Que no cunda el pánico: aunque el emisor jefe de cupones se haya retrasado temporalmente, todavía puede darle la vuelta a la situación emitiendo más cupones; es decir, con una fuerte expansión monetaria, como las que acabaron con las recesiones que
Estados Unidos sufrió en 1981-1982, 1990-1991 y en 2001.

¿Qué hay de todas las malas inversiones realizadas durante el
auge? Bien, se despilfarró demasiado capital. Pero no existe ninguna razón evidente para que las malas inversiones llevadas a cabo
en el pasado exijan una depresión real en el producto actual. La capacidad puede no haber aumentado tanto como se preveía, pero de
hecho no ha disminuido: ¿por qué no imprimir el dinero suficiente para mantener el gasto, de manera que la economía utilice plenamente la capacidad que tiene?

Recuerde que la historia de la cooperativa le dice que las depresiones económicas no son castigo de nuestros pecados, ni sufri-
mientos que tengamos fatalmente que padecer. La cooperativa de
Capitol Hill no tuvo dificultades porque sus miembros fueran unos
canguros malos e ineficientes; sus dificultades no revelaban los defectos fundamentales de los «valores de Capitol Hill» o del «cangurismo de compadrazgo». Tuvo un problema técnico: demasiadas
personas en busca de demasiados pocos vales, un problema que podía solucionarse, y se solucionó, pensándolo con un poco de claridad. Y así, la historia de la cooperativa debiera vacunarnos contra
el fatalismo y el pesimismo, pues parece implicar que las recesiones siempre tienen remedio, y un remedio verdaderamente fácil.

Pero, en este caso, ¿por qué Japón no hizo un esfuerzo después
del estallido de la burbuja? ¿Cómo puede Japón quedar pillado en

una depresión que según parece es insoluble, una depresión que no parece capaz de superar simplemente emitiendo cupones? Bien, si ampliamos un poco la historia de la cooperativa, no es difícil producir algo que se parece mucho a los problemas de Japón, y ver el esbozo de una solución.

En primer lugar, tenemos que imaginar una cooperativa cuyos miembros se daban cuenta de que existían unos inconvenientes innecesarios en su sistema: se presentarían ocasiones en las que una pareja se encontrara en la necesidad de salir varias veces seguidas, por lo que agotaría sus cupones —y entonces no podría tener atendidos a sus niños— aunque estuviera dispuesta, en compensación, a hacer de canguro muchas veces en el futuro. Para resolver este problema, la cooperativa permitió a sus miembros que *pidieran prestado* a la dirección un número extra de cupones cuando los necesitaran, y pagaran con los cupones recibidos de su trabajo de canguro en días sucesivos. (Podríamos cambiar un poco la historia, aproximándola al modo real de funcionar las economías, imaginando que las parejas podrían también prestarse los cupones unas a otras; el tipo de interés en este naciente mercado de capitales desempeñaría entonces el papel que el «tipo de descuento» de la dirección de la cooperativa desempeña en nuestra parábola.) Para evitar que los miembros abusen de este privilegio, sin embargo, probablemente la dirección tendría que imponer alguna multa, y exigir a los prestatarios que devolvieran más cupones de los que hubieran tomado prestados.

En este nuevo sistema, las parejas mantendrían menores reservas de cupones que antes, sabiendo que podrían pedir prestada una mayor cantidad si fuese necesario. Sin embargo, los funcionarios de la cooperativa dispondrían de un nuevo instrumento de dirección. Si los miembros de la cooperativa informaban de que era fácil encontrar canguros y difícil encontrar oportunidades para hacer de canguro, los términos en los que los miembros podrían pedir cupones prestados podrían mejorar, y eso animaría a un número mayor de personas a salir de casa. Si los canguros fueran escasos, aquellos términos podrían empeorar, lo que supondría que las personas se sintiesen menos animadas a salir.

En otras palabras, esta cooperativa más compleja tendría un banco central que podría estimular a una economía deprimida reduciendo el tipo de interés y enfriar una economía sobrecalentada mediante una elevación de aquel tipo.

Pero en Japón los tipos de interés han descendido casi a cero y la economía sigue deprimida. ¿Hemos agotado finalmente la utilidad de nuestra parábola?

Bien, imaginemos que la demanda y la oferta de canguros tiene un carácter estacional. Durante el invierno, cuando hace frío y está oscuro, las parejas no quieren salir mucho, sino que prefieren quedarse en casa y cuidar a los niños de otras personas, y por tanto, acumulan puntos que pueden utilizar en las suaves tardes del verano. Si esta estacionalidad no es demasiado pronunciada, la cooperativa podría todavía mantener la oferta y la demanda de canguros en equilibrio, cargando intereses bajos en los meses de invierno e intereses altos durante el verano. Pero supongamos que la estacionalidad es muy fuerte. Entonces, en el invierno, incluso a un tipo de interés nulo, habrá más parejas en busca de la oportunidad de hacer de canguro que parejas que quieran salir; lo cual significa que las oportunidades para hacer de canguro serán difíciles de encontrar; lo que quiere decir que las parejas que buscan constituir reservas para la diversión veraniega estarán incluso menos deseosas de utilizar esos puntos en el invierno; lo cual significa menores oportunidades para hacer de canguro... y de este modo la cooperativa irá cayendo en una recesión incluso con un tipo de interés nulo.

Y los noventa fueron el invierno del descontento en Japón. Tal vez a causa de su población que envejece, tal vez también a causa de un nerviosismo general ante el futuro, el público japonés no parece deseoso de gastar lo suficiente para utilizar la capacidad de la economía, incluso a un tipo de interés nulo. Japón, dicen los economistas, ha caído en la espantosa «trampa de la liquidez». Y una vez que usted comprenda que esto es lo que ha ido mal, la respuesta a los problemas de Japón es completamente evidente.

Japón a la deriva

La respuesta estándar ante una recesión consiste en reducir los tipos de interés, permitir que la gente pida prestados cupones de canguro a un coste barato, de modo que empiecen a salir de nuevo. Japón fue un poco lento en reducir los tipos de interés después del estallido de la burbuja, pero con el tiempo los redujo hasta llegar casi a cero, y aun así no fue suficiente. Y ahora, ¿qué?

La respuesta clásica, la que se ha asociado con el nombre de John Maynard Keynes, es que si el sector privado no gasta lo suficiente para mantener el pleno empleo, el sector público debe contribuir a utilizar toda la capacidad productiva. Dejemos que el gobierno pida prestado el dinero y utilice los fondos para financiar proyectos de inversión pública —si es posible, en objetivos buenos, pero ésta es una consideración secundaria— y proporcione de este modo puestos de trabajo, lo que hará que la gente esté más dispuesta a gastar, y de este modo se generen más puestos de trabajo, y así sucesivamente. La Gran Depresión en Estados Unidos terminó con un gran programa de obras públicas financiado con déficit, que se conoce como segunda guerra mundial; ¿por qué no intentar empezar el salto del crecimiento japonés con una versión más pacífica del mismo?

Y de hecho Japón lo intentó. Desde los primeros años noventa el gobierno ha producido una serie de paquetes de medidas estimulantes, y se ha endeudado para construir carreteras y puentes, tanto si el país los necesita como si no. Estos paquetes crearon puestos de trabajo de modo directo; también le dieron un claro impulso a la economía en su conjunto cada vez que lo intentaron.

La dificultad estaba en que el programa no parecía impulsar demasiado al yen. En 1991, el gobierno de Japón estaba logrando un superávit presupuestario bastante grande (2,9 por 100 del PIB); en 1996 alcanzaba un déficit muy grave del 4,3 por 100 del PIB. Con todo, el motor económico estaba chirriando todavía. Entretanto, los déficits siempre crecientes comenzaban a preocupar al ministro de Hacienda de Japón, porque afectaban a la posición presupuestaria a largo plazo. El problema era demográfico (lo cual también puede tener mucho que ver con los elevados ahorros y la baja demanda de inversión de Japón). Como otros países, Japón tuvo un *boom* de natalidad seguido de una caída de ésta, y ahora se enfrenta con la perspectiva de una población que envejece constantemente. Pero el problema de Japón es excepcional: su población en edad laboral disminuye regularmente en la actualidad, al tiempo que crece rápidamente el número de jubilados. Y como los ciudadanos jubilados son una pesada carga fiscal para los gobiernos modernos —en tanto que beneficiarios de costosas pensiones públicas y atenciones sanitarias—, los principios fiscales corrientes decían que Japón debía constituir ahora un fondo de fideicomiso para atender los gastos futuros, sin incurrir en déficits siempre crecientes.

En 1997 prevalecieron las voces en favor de la responsabilidad fiscal, y el primer ministro Ryutaro Hashimoto aumentó los impuestos para reducir el déficit presupuestario. La economía cayó enseguida en la recesión.

Así, ello representaba la vuelta a la financiación con déficit. En 1998, Japón puso en marcha un nuevo e importante programa de obras públicas. Pero el problema fiscal ahora se había agravado, y se resistía a desaparecer. Los inversionistas se dieron pronto cuenta de que Japón se estaba planteando un déficit del 10 por 100 del PIB, y que la proporción de la deuda gubernamental sobre el PIB casi superaba el 100 por 100; éste era el tipo de cifras que habitualmente se asociaban con los países latinoamericanos con riesgo de hiperinflación. Nadie espera realmente que pase esto en Japón; pero en noviembre Moody asignó una calificación un poco más baja a la deuda gubernamental japonesa, y en diciembre el rendimiento de esa deuda aumentó bruscamente, algo que dio a entender que los inversionistas estaban por lo menos empezando a preocuparse por la solidez a largo plazo de las finanzas de aquel gobierno. En pocas palabras, el intento de darle un empujón a la economía mediante la financiación con déficit ha alcanzado sus límites.

Y ahora, ¿qué?

Si el gasto gubernamental es una respuesta corriente a una economía atascada, bombear liquidez a los bancos es otra. Una opinión ampliamente sostenida sobre la Gran Depresión es que duró tanto porque las crisis bancarias de 1930-1931 causaron un daño a largo plazo a los mercados crediticios. De acuerdo con este punto de vista, hubo hombres de negocios que hubieran querido gastar más si hubieran tenido acceso al crédito, y que de hecho habrían sido prestatarios cualificados. Pero los banqueros que podían haber efectuado estos préstamos estaban ya fuera del negocio o no podían reunir los fondos, porque la confianza del público en los bancos había experimentado una sacudida enorme. En términos de la cooperativa de canguros, esto equivale a decir que había personas que hubieran querido salir de casa en invierno y hacer de canguros en verano, pero que no pudieron encontrar a nadie que les prestara los cupones necesarios.

Ahora bien, los bancos de Japón realizaron muchos préstamos de mala calidad en los años de la economía burbuja, y el largo estancamiento que los siguió empeoró la calidad de muchos otros préstamos. En su mayor parte, los bancos no han llegado todavía, en el momento en que esto se escribe, a ningún reconocimiento realista de cuántos de sus préstamos no serán devueltos nunca, pero todos saben que muchos bancos no tienen capital o, por lo menos, tienen mucho menos de las cantidades supuestamente exigidas por la ley. Así, una teoría sobre la depresión de Japón es que el país se encuentra en una trampa de la liquidez sólo porque sus bancos son financieramente débiles; asegúrese la posición de los bancos y la economía se recuperará. Y a finales de 1998 el Parlamento de Japón reunió 500.000 millones de dólares para un plan de rescate bancario.

Japón tenía otra opción: provocar como fuera la inflación, por pequeña que fuera. Esta opción precisa de una cierta explicación.

Lo cierto es que los economistas no han pensado a fondo sobre el tema de la trampa de la liquidez desde hace mucho tiempo. El último caso en que una economía importante pareció encontrarse en tal trampa fue el de Estados Unidos a finales de los años treinta, y los historiadores del período han tendido a creer que no fue una verdadera trampa de la liquidez: que el FED podría habernos sacado de ella si lo hubiera intentado de verdad, o que sólo caímos en esa trampa a causa de los extraordinarios errores de la política, que difícilmente se repetirán. A medida que los perfiles de la trampa de Japón aparecían con claridad a mediados de los noventa, los economistas no estaban básicamente preparados; y, si puedo ser crítico con mi profesión, no estaban interesados. Sigue sorprendiéndome constatar qué pocos economistas en todo el mundo se han percatado de la importancia de un problema como el de la trampa de Japón, como una cuestión práctica y como un desafío a nuestras doctrinas económicas.

Pero la economía es, como dijo el gran economista victoriano Alfred Marshall, «no un cuerpo de verdades concretas, sino una máquina para el descubrimiento de verdades concretas». O para decirlo en un lenguaje menos elevado, los viejos modelos pueden enseñarse para desarrollar nuevas técnicas. Como hemos visto en mi versión revisada de la historia de la cooperativa de canguros, un modelo diseñado para explicar por qué un banco central puede normalmente remediar una recesión disminuyendo los tipos de interés, también puede ilustrar las circunstancias en las que este remedio informal no funciona. Y resulta que esta parábola, revisada, también ofrece una guía clara sobre cómo Japón tendría que salir de su trampa.

Recuérdese que el problema básico de la cooperativa, en invierno, es que las personas quieren ahorrar el crédito que pueden obtener haciendo de canguro en esa época para utilizarlo en verano, incluso a un tipo de interés nulo. Pero en conjunto, los miembros de la cooperativa *no pueden* ahorrar hacer de canguro en invierno para utilizarlo en verano; así pues, los esfuerzos individuales para hacerlo acaban por no producir nada más que una recesión invernal.

La respuesta, como cualquier economista advertiría de modo inmediato, es tomar el precio correcto: para decirlo claramente, que los puntos ganados en invierno se devaluarán si se guardan hasta el verano; digamos que cinco horas de crédito de canguro ganadas en invierno se reducen a sólo cuatro horas en verano. Esto incentivará a las personas a utilizar antes sus horas de canguro y, por lo tanto, creará más oportunidades para los canguros. Usted podría sentirse tentado a pensar que existe algo injusto en esto, que quiere decir que se están expropiando los ahorros de las personas. Pero la realidad es que la cooperativa como un todo *no puede* acumular canguros de invierno para su uso en verano, así que de hecho está distorsionando los incentivos de los miembros para permitirles intercambiar horas de invierno por horas de verano sobre una base de una por una.

Pero, ¿qué es lo que en la economía que no es de canguros corresponde a nuestros cupones que desaparecen cuando llega el verano? La respuesta es la *inflación*, eso es lo que hace que el dinero pierda con el tiempo valor real. O, para ser más exactos, lo que puede hacer que una economía que se encuentra en una trampa de liquidez salga de ella es una inflación *esperada*, pues llevará a la gente a perder interés por acaparar dinero. En cuanto nos tomamos en serio la posibilidad de una trampa de liquidez —y el caso japonés pone de manifiesto que deberíamos hacerlo—, es imposible no llegar a la conclusión de que una inflación esperada puede ser algo bueno, pues nos ayuda a salir de esa trampa. Me he referido a las virtudes de la inflación a través de la ocurrente parábola de la cooperativa de canguros, pero llegaríamos a esa misma conclusión si aplicáramos cualquiera de los modelos matemáticos corrientes que los economistas suelen emplear para discutir la política monetaria. En efecto, durante mucho tiempo ha existido una línea de pensamiento que sostiene que la inflación moderada puede ser necesaria si la política monetaria ha de ser capaz de enfrentarse a las recesiones. Sin embargo, los partidarios de la inflación han tenido que luchar con una creencia profundamente arraigada de que la estabilidad de los precios es deseable siempre, que fomentar la inflación es crear incentivos perversos y peligrosos. Esta fe en la importancia de la estabilidad de los precios no se basa en los modelos económicos corrientes; al contrario, la teoría que aparece habitualmente en los manuales, aplicada a las circunstancias inusuales de Japón, apunta directamente a la inflación como solución natural. Pero la teoría económica y la sabiduría económica convencionales no son siempre la misma cosa, un conflicto que llegaría a ser cada vez más evidente a medida que un país tras otro se hallasen en la coyuntura de tener que tomar decisiones difíciles ante las crisis financieras.

LA RECUPERACIÓN DE JAPÓN

La economía japonesa empezó finalmente a mostrar algunos signos de recuperación allá por 2003. El PNB real comenzó a crecer a un ritmo ligeramente superior al 2 por 100 anual, la tasa de desempleo descendió y la agotadora deflación que azotaba a la economía (y que no hacía sino empeorar la trampa de liquidez) perdió empaque, a pesar de que no había el menor indicio de inflación. ¿Qué es lo que funcionó?

La respuesta es, sobre todo, las exportaciones. En el ecuador de esa década, Estados Unidos incurrió en un déficit de su balanza comercial descomunal, e importaba grandes cantidades de productos manufacturados. Algunos de estos productos procedían de Japón, a pesar de que el mayor aumento se registró en las importaciones procedentes de China y de otras economías emergentes. No obstante, Japón se benefició del crecimiento chino porque una parte importante de los productos manufacturados chinos contienen componentes fabricados en Japón. Así, el *boom* de las importaciones estadounidenses trajo consigo el aumento de las exportaciones japonesas y la recuperación de la economía de ese país.

Con todo, Japón sólo escapó de aquella trampa provisionalmente. El precio del dinero en Japón, el equivalente al tipo de interés sobre los fondos federales (fijado por la Reserva Federal), era solamente del 0,5 por 100 en el momento de escribir estas líneas, lo que apenas otorgaba al Banco de Japón margen de maniobra para bajar más los tipos de interés ante la recesión que parece avecinarse. Y, si la recesión es profunda, Japón volverá a caer en su propia trampa.

4

El *crash* asiático

TAILANDIA NO ES EN REALIDAD UN PAÍS PEQUEÑO. Tiene más ciudadanos que Gran Bretaña o Francia; Bangkok es una enorme pesadilla urbana, cuyo tráfico es absolutamente tan malo como su leyenda. Sin embargo, la economía mundial es prácticamente inmensa, y en el aspecto comercial de la misma Tailandia es bastante marginal. A pesar del rápido crecimiento de las recientes décadas, es todavía un país pobre; sus habitantes tienen un poder adquisitivo conjunto que no es mayor que el de la población de Massachusetts. Uno podría haber pensado que los asuntos económicos de Tailandia, a diferencia de los de un monstruo económico como Japón, interesaban sólo a los tailandeses, a sus vecinos inmediatos y a aquellos hombres de negocios que tuvieran un vínculo financiero directo con el país.

Pero la devaluación de la moneda de Tailandia, el baht, en 1997, provocó un alud financiero que sepultó a gran parte de Asia. Las preguntas decisivas son por qué sucedió eso y, ciertamente, cómo *pudo* haber sucedido. Pero antes de ver el cómo y el porqué, veamos el qué: la historia del auge de Tailandia, su crisis y la difusión de esa crisis en Asia.

El auge

Tailandia era un país que se había incorporado relativamente tarde al milagro asiático. Tradicionalmente era sobre todo un exportador agrícola y sólo comenzó a convertirse en un centro industrial importante en los años ochenta, cuando empresas extranjeras —especialmente japonesas— empezaron a instalar fábricas en el país. Pero cuando la economía despegó, lo hizo de forma impresionante: a medida que los campesinos se trasladaban de las zonas rurales a los nuevos puestos de trabajo urbanos, a medida que los buenos resultados experimentados por la primera oleada de inversionistas extranjeros animaban a otros a seguir, Tailandia comenzó a crecer a una tasa anual del 8 por 100 o más. Pronto los famosos templos de Bangkok se encontraron situados a la sombra de torres de oficinas y apartamentos; como sus vecinos, Tailandia se convirtió en un lugar donde millones de personas corrientes comenzaban a salir de la pobreza desesperada para entrar por lo menos en los comienzos de una vida decente, y donde algunas personas se enriquecían.

Hasta principios de los años noventa, gran parte de la inversión asociada con este crecimiento procedía de los ahorros de los propios tailandeses: el dinero extranjero construyó las grandes fábricas para la exportación, pero las empresas más pequeñas eran financiadas por hombres de negocios locales, con sus propios ahorros; los nuevos bloques de oficinas y apartamentos se financiaron con los depósitos bancarios de las economías domésticas. En 1991, la deuda exterior de Tailandia era un poco menor que sus exportaciones anuales; no se trataba de una proporción insignificante, pero se encontraba dentro de los límites normales de seguridad. (En el mismo año la deuda latinoamericana ascendía a una suma que era 2,7 veces mayor que las exportaciones.)

Sin embargo, durante los noventa esta autosuficiencia financiera empezó a cambiar. La ofensiva vino principalmente del exterior. La resolución de la crisis de la deuda latinoamericana, descrita en el capítulo 2, hizo que la inversión en el Tercer Mundo recuperara su respetabilidad. La caída del comunismo, al disminuir la sensación de amenaza de un cambio radical, hizo que la inversión en el exterior pareciera menos arriesgada que antes para la seguridad del mundo occidental. En los primeros años noventa los tipos de interés en los países avanzados fueron excepcionalmente bajos, porque los bancos centrales intentaban ayudar a sus economías a salir de una ligera recesión; muchos inversionistas fueron al extranjero en busca de mayores rendimientos. Tal vez lo más decisivo de todo ello fue que los fondos de inversión acuñaron un nuevo nombre para lo que previamente se había denominado Tercer Mundo o países en vías de desarrollo: ahora eran «mercados emergentes», la nueva frontera de las oportunidades financieras.

Los inversionistas respondieron en tropel. En 1990, los flujos de capital privado hacia los países en vías de desarrollo fueron de 42.000 millones de dólares; las agencias oficiales como el FMI y el Banco Mundial estaban de hecho financiando más inversión en el Tercer Mundo que todos los inversionistas privados juntos. En 1997, sin embargo, mientras que el flujo de dinero oficial en realidad había disminuido, los flujos privados se habían quintuplicado, hasta alcanzar la suma de 256.000 millones de dólares. Al principio, gran parte del dinero iba a Latinoamérica, especialmente a México, pero después de 1994 se dirigió cada vez más a las aparentemente más seguras economías del Sureste asiático.

¿Cómo iba el dinero de Tokio o Fráncfort (buena parte del préstamo a Asia era japonés o europeo; por sabiduría o por buena suerte, los bancos estadounidenses se mantuvieron principalmente en sectores secundarios) a Bangkok o Yakarta? ¿Qué hacía cuando estaba allí? Sigamos sus pasos.

Se empieza con una típica transacción: un banco japonés realiza un préstamo a una «sociedad financiera» tailandesa, una institución cuyo principal objeto es actuar como cinta transportadora de fondos extranjeros. Ahora la sociedad financiera tiene yenes, que utiliza para hacer un préstamo, a un tipo de interés más alto, a un promotor inmobiliario local. Pero el promotor necesita bahtes, no yenes, porque tiene que comprar el terreno y pagar a sus trabajadores en moneda local. De manera que la sociedad financiera acude al mercado de divisas y cambia sus yenes por bahtes.

Ahora bien, el mercado de divisas, como otros mercados, está gobernado por la ley de la oferta y la demanda; aumenta la demanda de algo y su precio normalmente aumentará. Es decir, la demanda de bahtes por parte de la sociedad financiera tenderá a hacer que el valor del baht aumente frente a otras monedas. Pero durante los años de auge, el banco central de Tailandia estaba obligado a mantener un tipo de cambio estable entre el baht y el dólar estadounidense. Al hacerlo, tendría que compensar cualquier aumento en la demanda de bahtes incrementando también la oferta: vendiendo bahtes y comprando monedas extranjeras como el dólar o el yen. Así, el resultado indirecto de ese préstamo inicial en yenes sería un aumento de las reservas de divisas del Banco de Tailandia y de la oferta monetaria tailandesa. Y también se produciría una expansión del crédito en la economía, no sólo el préstamo proporcionado directamente por la sociedad financiera, sino también el crédito adicional proporcionado por los bancos en los que se depositaran los bahtes de nueva creación. Y como buena parte del dinero prestado acabaría por volver a los bancos en forma de nuevos depósitos, esto financiaría nuevos préstamos, y así sucesivamente, en el clásico proceso del «multiplicador del dinero» que se enseña en un curso básico de economía. (Mi descripción de la crisis bancaria de 1995 en Argentina era un ejemplo de este mismo proceso funcionando a la inversa.)

A medida que entraban a raudales más y más préstamos procedentes del extranjero, el resultado era, pues, una enorme expansión del crédito, la cual alimentó una oleada de nuevas inversiones. Algunas de éstas tomaban la forma de construcciones reales, principalmente edificios de oficinas y apartamentos, aunque hubo asimismo mucha especulación pura, especialmente en el sector inmobiliario, pero también en las acciones. A principios de 1996, las economías del Sureste asiático comenzaban a mostrar un fuerte parecido familiar con la «economía burbuja» de Japón a finales de los años ochenta.

¿Por qué no frenaron las autoridades monetarias el auge especulativo? La respuesta es que lo intentaron, pero fracasaron. En todas las economías asiáticas, los bancos centrales trataron de «esterilizar» la afluencia de capital: obligado a vender bahtes en el mercado de divisas, el Banco de Tailandia intentaría comprar de nuevo aquellos bahtes en otras partes, vendiendo bonos, tomando ciertamente de nuevo en préstamo el dinero recién emitido. Pero este endeudamiento provocaba el aumento de los tipos de interés locales, lo que hacía que el préstamo procedente del exterior fuese más atractivo y se captaran todavía más yenes y dólares. El esfuerzo por neutralizarlo fracasó: el crédito seguía creciendo.

La única vía por la que el banco central podía haber evitado la expansión excesiva del dinero y del crédito hubiera consistido en que abandonara su intento de fijar el tipo de cambio, permitiendo simplemente que el baht subiera. Y esto es, en efecto, lo que muchos aficionados domingueros dicen ahora que debían haber hecho los tailandeses. Pero en aquel momento esto no parecía una buena idea: un baht más fuerte haría menos competitivas las exportaciones tailandesas en los mercados mundiales (porque los salarios y otros costes serían mayores en dólares), y en general los tailandeses pensaron que un tipo de cambio estable era bueno para la confianza en los negocios y que eran un país demasiado pequeño para soportar un tipo de cambio ampliamente fluctuante como en el caso de Estados Unidos.

Y así se dejó que el auge siguiera su curso. Con el tiempo, como les diría el manual, la expansión monetaria y crediticia se limitó a sí misma. La altísima inversión, junto con una oleada de gasto de los nuevos consumidores opulentos, llevó a una oleada de importaciones; el auge económico elevó los salarios, e hizo menos competitivas las exportaciones tailandesas (especialmente porque China, un importante competidor de Tailandia, había devaluado su moneda en 1994), de modo que disminuyó el ritmo de crecimiento de las exportaciones. El resultado fue un enorme déficit comercial; en lugar de alimentar el dinero y el crédito interiores, aquellos préstamos en moneda extranjera empezaron a pagar las importaciones.

¿Y por qué no debía ser así? Algunos economistas argumentaron —exactamente como lo habían hecho los partidarios de impulsar la economía de México a principios de los noventa— que los déficits comerciales de Tailandia, Malasia e Indonesia no eran un signo de debilidad, sino de fortaleza económica, de mercados que estaban funcionando como se creía que debían hacerlo. Por repetir el argumento: en pura contabilidad, un país que atrae flujos de capital netos tiene que experimentar un déficit del mismo tamaño por cuenta corriente. Así, en la medida en que usted crea que las entradas de capital en el Sureste asiático estaban económicamente justificadas, en igual medida lo estaban los déficits comerciales. ¿Y por qué no era razonable para el mundo invertir una gran cantidad de capital en el Sureste asiático, dado el récord de la región en crecimiento y estabilidad económicos? Después de todo, no era el caso de gobiernos que se lo gastaran en juergas: aunque Malasia e Indonesia tenían su parte de proyectos públicos exagerados, los pagaban con el ingreso corriente, y los presupuestos eran más o menos equilibrados. Puesto que estos déficits comerciales eran producto de decisiones del sector privado, ¿por qué tienen estas decisiones que ser criticadas *a posteriori*?

Sin embargo, un número creciente de observadores comenzó a sentirse ligeramente incómodo a medida que los déficits de Tailandia y Malasia ascendían al 6, 7, 8 por 100 del PIB: la clase de cifras que México había tenido antes de la crisis tequila. La experiencia mexicana nos había convencido a algunos de que los flujos internacionales de capital, aunque representaran decisiones no distorsionadas del sector privado, no debían necesariamente inspirar confianza; la tendencia alcista de los inversionistas acerca de las perspectivas asiáticas guardaba un parecido inquietante con su tendencia alcista sobre Latinoamérica un par de años antes. Y la experiencia mexicana sugería también que un cambio de la opinión del mercado, cuando se produjera, sería repentino y difícil de tratar.

Lo que también debiéramos haber advertido era que la pretensión de que el endeudamiento asiático representaba decisiones libres del sector privado no respondía del todo a la verdad. Porque el Sureste asiático, como Japón en los años de la burbuja, tenía un problema de riesgo moral: el problema que pronto sería conocido como capitalismo de compadrazgo.

Volvamos a aquella sociedad financiera tailandesa, la institución que pedía prestados los yenes que iniciaban todo el proceso de expansión del crédito. ¿Qué eran exactamente estas sociedades financieras? Lo que pasa es que no eran bancos corrientes: en general, tenían pocos depositantes, si es que tenían alguno. Tampoco eran como los bancos de inversión occidentales, depositarios de información especializada que podían contribuir a dirigir fondos hacia sus usos más lucrativos. Entonces, ¿cuál era la razón de su existencia? ¿Qué ponían sobre la mesa?

Básicamente, la respuesta estaba en las conexiones políticas; en efecto, a menudo el propietario de la sociedad financiera era un pariente de algún funcionario gubernamental. Y así la pretensión de que las decisiones sobre cuánto pedir prestado e invertir representaban opiniones del sector privado que no deben criticarse *a posteriori* era algo insustancial. Ciertamente, los préstamos a las sociedades financieras no estaban sujetos al tipo de garantías formales que respaldaban los depósitos en las sociedades de préstamo inmobiliario norteamericanas. Pero puede perdonarse a los bancos extranjeros que prestaban dinero a la sociedad financiera del sobrino del ministro por creer que tenían una pequeña protección adicional y que el ministro hallaría el modo de salvar la sociedad si sus inversiones no se desarrollaban como estaba planeado. Y los prestamistas extranjeros habrían obrado correctamente: en unos nueve de cada diez casos, los prestamistas extranjeros a las sociedades financieras lograron ciertamente el apoyo del gobierno tailandés cuando sobrevino la crisis.

Veamos ahora la situación desde el punto de vista del sobrino del ministro, el propietario de la sociedad financiera. Básicamente, estaba en situación de pedir prestado dinero a tipos bajos, sin ningún problema. Qué más natural, entonces, que prestar ese dinero a un tipo de interés alto a su amigo, el promotor inmobiliario, cuya nueva torre de oficinas representaría un gran negocio, aunque después podría no serlo tanto. Si todo iba bien, magnífico, ambos hombres habrían ganado un montón de dinero. Si las cosas no resultaban como se esperaba, bueno, tampoco era tan horrible: el ministro encontraría la manera de salvar la sociedad financiera. Si sale cara, gana el sobrino; y si sale cruz, pierde el contribuyente.

De una u otra forma, juegos semejantes se estaban desarrollando en todos los países que pronto caerían en la crisis. En Indonesia los intermediarios no tuvieron un papel importante: allí la típica transacción equívoca era un préstamo directo de un banco extranjero a una sociedad controlada por uno de los compadres del presidente. (El ejemplo que representa la quintaesencia de esto fue el préstamo en que intervino Peregrine Investment Holdings, de Hong Kong, un préstamo concedido directamente a la compañía de taxis de la hija de Suharto.) En Corea, los grandes prestatarios eran bancos controlados eficazmente por los *chaebol*, los enormes conglomerados que han dominado la economía del país y —hasta hace muy poco— su política. Así pues, en toda la región, las garantías gubernamentales implícitas daban apoyo a inversiones garantizadas que tenían un mayor riesgo y eran menos prometedoras de lo que habrían sido si se hubieran acometido sin aquellas garantías, añadiendo combustible a lo que probablemente de otro modo habría sido un auge especulativo sobrecalentado.

Así, el desarrollo de algún tipo de crisis no era demasiado sorprendente. Algunos de nosotros podemos incluso reivindicar haber predicho crisis monetarias con más de un año de antelación. Pero nadie se percató de la gravedad que alcanzaría la crisis.

2 DE JULIO DE 1997

Durante el año 1996 y la primera mitad de 1997, el mecanismo crediticio que había generado el auge de Tailandia comenzó a actuar en sentido inverso. En parte, ello se producía a causa de acontecimientos externos: en algunos mercados de exportación de Tailandia bajaron los precios, y una depreciación del yen japonés hizo que la industria del Sureste asiático fuera un poco menos competitiva. Aunque en buena medida se trataba simplemente de que el juego, llevado a un extremo, castiga a los jugadores, lo cual siempre sucede a largo plazo: un número creciente de inversiones especulativas que habían sido financiadas, directa o indirectamente, con préstamos extranjeros baratos, no llegaron a buen fin. Algunos especuladores quebraron; algunas sociedades financieras abandonaron su actividad. Y los prestamistas extranjeros se mostraron cada vez más reacios a seguir prestando dinero.

Esto era hasta cierto punto un proceso que se alimentaba a sí mismo. Mientras los precios del mercado inmobiliario y los mercados bursátiles estaban en fase de auge, aun las inversiones dudosas tendían a parecer buenas. Cuando la burbuja comenzó a pinchar empezaron a aumentar las pérdidas, seguidamente se redujo la confianza y provocó que la oferta de nuevos préstamos se hundiera todavía más. Incluso antes de la crisis del 2 de julio, el precio de la tierra y de las acciones había descendido notablemente de sus niveles más altos.

La caída del préstamo extranjero planteó también problemas al banco central. Con una menor entrada de yenes y dólares disminuyó la demanda de bahtes en el mercado de divisas; entretanto, la necesidad de cambiar bahtes por monedas extranjeras para pagar las importaciones seguía sin disminuir. A fin de evitar el descenso del valor del baht, el Banco de Tailandia había hecho lo contrario de lo que hizo cuando comenzó la afluencia de capitales: acudió al mercado para cambiar dólares y yenes por bahtes, y respaldó así su propia moneda. Pero existe una diferencia importante entre el intento de mantener baja tu moneda y el de mantenerla alta: el Banco de Tailandia puede aumentar la oferta de bahtes tanto como quiera, simplemente porque puede emitirlos; pero no puede emitir dólares. Por tanto, su capacidad de mantener alto el baht tiene un límite: tarde o temprano agotará sus reservas.

La única manera de mantener el valor de la moneda habría sido reducir el número de bahtes en circulación, elevando los tipos de interés y haciendo así atractivo una vez más pedir prestados dólares para reinvertir en bahtes. Pero esto planteaba problemas de un tipo diferente. A medida que el auge inversionista iba perdiendo fuerza, la economía tailandesa disminuyó su ritmo —hubo menos actividad en la construcción, lo que significaba menos puestos de trabajo, lo cual suponía una renta menor, lo que se traducía en despidos en el resto de la economía—; no se trataba de una recesión en toda regla, pero la economía ya no estaba viviendo al estilo acostumbrado. Elevar los tipos de interés sería desanimar las nuevas inversiones y tal vez empujar la economía a una depresión declarada.

La alternativa consistía en dejar flotar la moneda: abandonar la compra de bahtes y permitir que el tipo de cambio disminuyera. Pero ésta era también una solución incómoda, no sólo porque tal devaluación de la moneda dañaría la reputación del gobierno, sino porque un elevado número de bancos, sociedades financieras y otros negocios tailandeses tenían ahora deudas en dólares; si el valor del dólar en términos de baht iba a aumentar, muchos de ellos se declararían insolventes.

Y así, el gobierno tailandés no supo qué hacer. No quería dejar que el baht cayese; ni quería tomar el tipo de medidas interiores severas que habrían frenado la pérdida de reservas. En lugar de ello prefirió no hacer nada, con la aparente esperanza de que al cabo de un tiempo se encontraría alguna solución.

Todo esto estaba de acuerdo con el guión corriente: era la clásica entrada en una crisis monetaria del tipo que los economistas gustan de modelar, y que a los especuladores les gusta provocar. A medida que se veía claramente que el gobierno no tenía el valor de apretarle las clavijas a la economía interior, era cada vez más probable que con el tiempo se dejara perder valor al baht. Pero puesto que ello aún no se había producido, todavía quedaba tiempo para aprovecharse del acontecimiento esperado. Mientras parecía probable que el tipo de cambio baht-dólar se mantuviese estable, el hecho de que los tipos de interés en Tailandia fueran varios puntos más altos que en Estados Unidos representaba un incentivo para pedir préstamos en dólares y prestar en bahtes. Pero una vez que tomó cuerpo una elevada probabilidad de que el baht sería devaluado pronto, el incentivo actuaba en sentido contrario: pedir prestado en bahtes, esperando que el valor en dólares de estas deudas se redujera pronto, y adquirir dólares, esperando que el valor de estos activos en bahtes aumentara pronto. Los hombres de negocios locales pidieron préstamos en bahtes y amortizaron sus préstamos en dólares; los tailandeses ricos vendieron sus tenencias de deuda gubernamental y compraron bonos del Tesoro estadounidenses; y en último término, aunque no por ello sea lo menos importante, algunos grandes *hedge funds* comenzaron a pedir prestados bahtes y a convertir su importe en dólares.

Todas estas acciones implicaban venta de bahtes y compra de otras monedas, lo que quiere decir que exigían que el banco central comprara incluso más bahtes para evitar que el baht cayera y redujera aún más deprisa sus reservas de divisas; esto reforzaría aún más la convicción de que el baht iba a ser devaluado pronto. Estaba en pleno movimiento una crisis monetaria clásica.

Cualquier docto en cuestiones monetarias puede decirle que, cuando las cosas han llegado a ese punto, el gobierno debe actuar con decisión, de una forma o de otra: o se compromete claramente en la defensa de la moneda a toda costa, o la deja flotar. Pero los gobiernos tienen por lo general dificultades para tomar cualquier decisión. Como muchos gobiernos antes y, sin duda, muchos después, el de Tailandia esperó mientras sus reservas iban disminuyendo; intentó convencer a los mercados de que su posición era más fuerte de lo que realmente era, hizo que aquellas reservas parecieran mayores mediante «*currency swaps*» sin previo aviso (en efecto, pidiendo prestados dólares ahora para devolverlos después). Pero aunque la presión a veces parecía disminuir, siempre se reanudaba. A principios de julio estaba claro que el juego había terminado. El 2 de julio, los tailandeses dejaron que el baht flotase.

Hasta entonces no había sucedido nada que pudiera sorprender. La disminución de las reservas y el ataque especulativo contra una moneda evidentemente débil estaban de acuerdo con lo que dicen los manuales. Pero a pesar de la reciente experiencia de la crisis tequila, muchas personas pensaron que la devaluación del baht acabaría prácticamente con esta historia: una humillación para el gobierno, tal vez una sensación muy desagradable para algunos hombres de negocios estresados, pero nada catastrófico. Seguramente Tailandia no se parecía en nada a México. Nadie podía acusarla de haber logrado «la estabilización y la reforma, pero no el crecimiento»; no había ningún Cárdenas tailandés esperando entre bastidores para aplicar un programa populista. Y así, no se produciría una recesión devastadora.

Estábamos equivocados.

EL DESASTRE

Se plantean dos cuestiones algo diferentes sobre la recesión que se propagó por Asia después de la devaluación tailandesa. La primera se refiere a la mecánica: ¿cómo se produjo esta depresión? ¿Por qué una devaluación en una economía pequeña tenía que haber provocado una caída de la inversión y del producto en un área tan amplia? La otra cuestión, en cierto sentido más profunda, es la de por qué los gobiernos no evitaron, tal vez no pudieron evitar, la catástrofe. ¿Qué le pasó a la política macroeconómica?

La respuesta a la segunda cuestión llevará algún tiempo, en parte al menos porque es un asunto en el que existe un notable desacuerdo entre las personas sensatas. Así pues, dejémosla hasta el próximo capítulo, e intentemos simplemente describir lo que sucedió.

Cuando todo va bien, no pasa nada terrible cuando se deja caer el valor de una moneda. Cuando Gran Bretaña abandonó su defensa de la libra en 1992, la moneda perdió un 15 por 100 de su valor y después se estabilizó: los inversionistas se imaginaron que lo peor ya había pasado, que la moneda devaluada favorecería las exportaciones del país, y que éste sería, por lo tanto, un lugar mejor para invertir de lo que había sido con anterioridad. Los cálculos típicos sugerían que el baht tendría que perder más o menos un 15 por 100 de su valor para que la industria tailandesa recuperase su competitividad en costes, de manera que una disminución de aproximadamente aquella magnitud parecía probable. Pero, en cambio, la moneda entró en caída libre: la cotización del dólar en bahtes aumentó el 50 por 100 durante los meses siguientes, y habría aumentado aún más si Tailandia no hubiera elevado bruscamente los tipos de interés.

¿Por qué disminuyó tanto el valor del baht? La respuesta breve es «pánico»; pero hay pánicos y pánicos. ¿Qué pasó?

A veces, un pánico es justamente un pánico: una reacción irracional por parte de los inversionistas que no está justificada por la realidad. Un ejemplo podría ser la breve caída del dólar en 1981, después de que un pistolero trastornado hiriera a Ronald Reagan. Fue un acontecimiento espantoso, pero aunque Reagan hubiera muerto, la estabilidad del gobierno de Estados Unidos y la continuidad de su política difícilmente podían haberse visto afectadas. Los que no perdieron la cabeza y no huyeron del dólar vieron recompensada su sangre fría.

Lo que es mucho más importante en economía, sin embargo, son los pánicos que, cualquiera que sea la causa, se alimentan a sí mismos, porque el mismo pánico se autojustifica. El ejemplo clásico es un pánico bancario: cuando todos los depositantes de un banco intentan sacar su dinero a la vez, el banco se ve obligado a vender sus activos a precios ínfimos, lo cual provoca su quiebra; los depositantes que no se dejaron llevar por el pánico terminaron en peor situación que los que sí lo hicieron.

Y efectivamente *fueron* varios los pánicos bancarios en Tailandia, y aún más en Indonesia. Pero concentrarnos solamente en estos pánicos bancarios sería tomar la metáfora de forma demasiado literal. Lo que sucedió realmente fue un proceso circular —un circuito de realimentación devastador— de deterioro financiero y disminución de la confianza, del cual los pánicos bancarios clásicos fueron sólo un aspecto.

El gráfico de la página siguiente ilustra esquemáticamente este proceso, que tuvo lugar en alguna de sus versiones en todas las economías asiáticas que lo padecieron. Comencemos por cualquier parte del círculo, digamos, con una disminución de la confianza en la moneda y en la economía de Tailandia. Esta disminución de la confianza haría que los inversionistas, tanto nacionales como extranjeros, tuvieran que sacar su dinero del país. Suponiendo que lo demás no varía, esto provocaría la disminución de valor del baht. Dado que el banco central tailandés no podía seguir respaldando el valor de su moneda mediante la compra de la misma en el mercado de divisas (porque ya no tenía dólares o yenes que gastar), el único modo que tenía de limitar la caída de la moneda era aumentar los tipos de interés y retirar bahtes de la circulación. Por desgracia, tanto la disminución del valor de la moneda como el aumento de los tipos de interés generaban problemas financieros para los hombres de negocios, fueran instituciones financieras u otras sociedades. Por una parte, muchos de ellos tenían deudas en dólares,

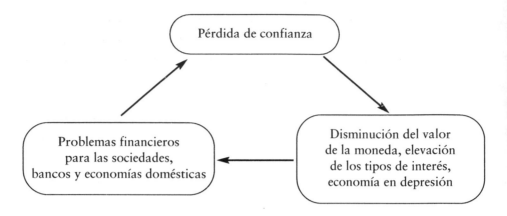

El círculo vicioso de la crisis financiera

las cuales, de repente, se hacían más onerosas a medida que se incrementaba el número de bahtes por dólar; por otra parte, muchos de ellos tenían deudas en bahtes, cuyo servicio aumentaba a medida que subían los tipos de interés. Y la combinación de tipos de interés más altos y balances problemáticos con un sistema bancario que a menudo se reveló incapaz de otorgar incluso el más seguro de los préstamos, significó que las sociedades tuvieron que reducir drásticamente su gasto y se produjo una recesión, lo cual, a su vez, suponía consecuencias peores para los beneficios y los balances. Todas estas malas noticias procedentes de la economía, inevitablemente, redujeron todavía más la confianza, y la economía experimentó una desastrosa sacudida.

Dejando de lado todos los detalles complicados (que todavía están examinando los investigadores), esta historia parece bastante sencilla, especialmente porque algo muy semejante se produjo en México en 1995. Entonces, ¿por qué los desastrosos efectos de la devaluación en Tailandia constituyeron una sorpresa semejante? La respuesta básica es que, aunque muchos economistas eran conscientes de los elementos de esta historia —en principio, todos comprendieron que existía una realimentación entre la confianza, los mercados financieros, la economía real y de nuevo la confianza—, nadie se dio cuenta exactamente de la fuerza que tendría ese proceso de realimentación en la práctica. Y en consecuencia nadie se percató de lo explosiva que podía ser la lógica circular de la crisis.

He aquí un paralelo. Un micrófono situado en un auditorio genera siempre un circuito de realimentación: los sonidos que capta el micrófono son amplificados por los altavoces; el sonido que producen éstos es recogido a su vez por el micrófono, y así sucesivamente. Pero mientras la sala no tenga demasiada resonancia y el sonido no sea demasiado alto, éste es un proceso «amortiguado» y no plantea problema alguno. Sin embargo, giren el dial un poco de masiado a la derecha y el proceso se hace explosivo: cualquier pequeño sonido es recogido, amplificado, recogido de nuevo, y de pronto se produce un chirrido que taladra el tímpano. En otras palabras, lo que importa no es propiamente el hecho cualitativo de la realimentación, sino su fuerza cuantitativa; lo que cogió a todos por sorpresa fue el descubrimiento de que el dial estaba, en realidad, en una posición que generaba un sonido demasiado alto.

En efecto, aún ahora hay muchas personas a quienes les resulta difícil creer que una economía de mercado pueda realmente ser de tal modo inestable que las realimentaciones ilustradas en el gráfico puedan ser de hecho tan fuertes como para crear una crisis explosiva. Pero lo son, como podemos ver examinando la manera de propagarse la crisis.

EL CONTAGIO

Existe probablemente una buena razón por la que encuentros importantes sobre finanzas internacionales, especialmente sobre la administración de las crisis internacionales, tienden a realizarse en ambientes rústicos; por esa razón, el sistema monetario de la posguerra fue trabajosamente elaborado en el Hotel Mount Washington, en Bretton Woods, y también por eso muchos de los ministros de Hacienda y banqueros centrales se reúnen cada verano en Jackson Lake Lodge (Wyoming). Tal vez el escenario contribuye a que las personas importantes salgan fuera del ambiente de extinción de incendios en el que se desarrollan sus vidas cotidianas y se concentren al menos durante un tiempo breve en los temas más importantes. En cualquier caso, a principios de octubre de 1997 —cuando la crisis asiática ya había comenzado, pero su gravedad todavía no era del todo evidente—, una serie de banqueros, funcionarios y economistas convergieron en Woodstock (Vermont) para hacer inventario de los problemas más acuciantes.

Pero entonces Tailandia ya se encontraba claramente en grandes dificultades, la moneda de su vecina Malasia también había sido dañada y la rupia indonesia se había depreciado alrededor del 30 por 100. El sentimiento general en la sala era que Tailandia había soportado ella sola sus problemas, y existía poca simpatía por Malasia, que —como Tailandia— había tenido enormes déficits por cuenta corriente en varios de los años anteriores, y cuyo primer ministro había empeorado claramente las cosas con sus denuncias de malvados especuladores. Pero todos estuvieron de acuerdo en que aunque Indonesia había obrado correctamente al dejar caer su moneda —efectivamente, se hablaba muy bien de la administración económica de Indonesia—, la debilidad de la rupia no estaba realmente justificada. Después de todo, los déficits por cuenta corriente de Indonesia no habían sido de ningún modo tan grandes en proporción al PIB como los de sus vecinos —menor del 4 por 100 del PIB, el déficit de Indonesia en 1996 era de hecho más pequeño que, digamos, el de Australia—. La base exportadora del país —en parte materias primas, en parte manufacturas intensivas en trabajo— parecía sólida, y en general la economía parecía fundamentalmente saneada.

En tres meses, Indonesia ofrecía un perfil aún peor que el resto del Sureste asiático, francamente estaba en el camino de una de las peores depresiones económicas de la historia del mundo; y la crisis se había propagado no sólo en el Sureste asiático, sino hasta Corea del Sur, una remota economía cuyo PIB era el doble del de Indonesia y el triple del de Tailandia.

A veces hay buenas razones para el contagio económico. Una antigua expresión dice que cuando Estados Unidos estornuda, Canadá coge frío; no es extraño: buena parte de la producción de Canadá se vende en los mercados de su gigantesco vecino del sur.

Y existían algunos vínculos directos entre las economías asiáticas afectadas: Tailandia es un mercado para los productos malasios y viceversa. Una cierta tracción extra puede haber sido generada por la tendencia de las economías asiáticas a vender productos semejantes a terceros países: cuando Tailandia devaluó su moneda, la ropa que exportaba a Occidente se abarató y, por lo tanto, se redujeron los márgenes de beneficio de los productores indonesios de artículos similares.

Pero todas las estimaciones de este desbordamiento directo en el «mercado de bienes» entre las economías en crisis indican que no puede haber sido un factor importante en la propagación de esa crisis. En particular, el papel de Tailandia como mercado o como competidor de Corea del Sur fue poco relevante para la economía de Corea, mucho mayor en dimensión.

Una causa más potente de contagio puede haber sido la conexión financiera más o menos directa. No es que los tailandeses fueran grandes inversionistas en Corea, o los coreanos en Tailandia; pero los flujos de dinero hacia la región fueron a menudo canalizados a través de «fondos del mercado emergente» que agrupaban a todos los países. Cuando las malas noticias venían de Tailandia, el dinero salía de estos fondos y por lo tanto de todos los países de la región.

Aún más importante que esta conexión mecánica, sin embargo, fue la manera en la que las economías asiáticas estaban asociadas en la mente de los inversionistas. El apetito de los inversionistas por la región había sido alimentado por la percepción de un «milagro asiático» compartido; cuando resultaba que, después de todo, la economía de un país no era tan milagrosa, ello sacudía la fe en todos los demás. Los hombres sabios en Woodstock pueden haber considerado a Indonesia como un caso completamente diferente de Tailandia, pero el inversionista de la calle estaba menos seguro y comenzó a retirar su dinero.

Y resultó que cualesquiera que fueran las diferencias entre todas aquellas economías, una cosa que tenían en común era la susceptibilidad ante el pánico autogenerado. Los hombres sabios en Woodstock estaban equivocados con Indonesia, y los inversionistas llenos de pánico tenían razón; esto no era porque los hombres sabios hubieran juzgado mal las virtudes de Indonesia, sino porque habían subestimado su vulnerabilidad. En Malasia, en Indonesia, en Corea, como en Tailandia, la pérdida de confianza en el mercado inició un círculo vicioso de hundimiento financiero y económico. No tenía importancia que estas economías estuvieran sólo modestamente vinculadas en términos de flujos físicos de bienes. Estaban vinculadas en la mente de los inversionistas, que consideraban los problemas de una economía asiática como malas noticias de las otras; y cuando una economía es vulnerable ante un pánico autogenerado, la creencia se transforma en hechos.

¿POR QUÉ ASIA? ¿POR QUÉ 1997?

¿Por qué experimentó Asia una crisis económica terrible y por qué comenzó en 1997? Como podría decir Bill Clinton, la respuesta depende de lo que usted entienda por «por qué». Usted podría preguntar por los acontecimientos específicos que se produjeron; o podría preguntar, lo cual es más importante, por la causa de la vulnerabilidad extraordinaria de Asia.

Si usted insiste en culpar del comienzo de la crisis asiática a algún acontecimiento concreto, existe una lista de sospechosos habituales. Uno es el tipo de cambio entre el yen y el dólar: entre 1995 y 1997 el yen, que había subido más bien misteriosamente hasta las nubes, volvió a caer en la tierra. Dado que muchas monedas asiáticas estaban más o menos vinculadas al dólar, esto hizo que sus exportaciones parecieran más caras en los mercados japoneses y en la competencia con los productos japoneses en otras partes, lo cual contribuyó a una caída de la exportación. La devaluación china de 1994 y, en sentido más amplio, la creciente competencia del trabajo barato chino, redujeron igualmente las exportaciones tailandesas y malayas. Y se produjo una depresión mundial en la demanda de electrónica en general y de semiconductores en particular, un área en la que habían tendido a especializarse las economías asiáticas.

Pero Asia había minimizado las consecuencias de anteriores sacudidas de mucha mayor intensidad. La crisis de los precios del petrólco, cn 1985, por cjcmplo, fuc un golpc importantc para las cxportaciones del petróleo indonesio; con todo, la economía siguió creciendo a pesar de las malas noticias. La recesión de 1990-1991, que no fue muy grave, pero que afectó a buena parte del mundo industrial, redujo la demanda de las exportaciones asiáticas, pero no disminuyó en absoluto el ímpetu de la región. Así pues, la pregunta importante es qué había cambiado acerca de Asia (o tal vez del mundo), de manera que *estas* malas noticias pusieran en movimiento una avalancha económica.

Algunos de los asiáticos, sobre todo el primer ministro de Malasia, Mahathir, tenían una respuesta preparada: conspiración. Mahathir, en efecto, no sólo argumentó que el pánico en Asia fue deliberadamente tramado por grandes operadores financieros como George Soros, sino que el propio Soros actuaba siguiendo instrucciones del gobierno de Estados Unidos, que quería reducir el tamaño de los enérgicos asiáticos. A medida que transcurría el tiempo, la demonización que Mahathir hizo de los *hedge funds* ha empezado a tener un aspecto un poco menos absurdo que cuando comenzó a utilizar ese lenguaje. Efectivamente, el papel de los *hedge funds* parece ahora lo bastante importante como para merecer todo un capítulo en este libro (capítulo 6). Pero este papel llegó a ser notable sobre todo en 1998 (una época en la que, por cierto, las actividades de Soros y otros eran muy opuestas a los deseos de la política norteamericana); como historia sobre el comienzo de la crisis, la teoría de la conspiración no funciona.

Por otra parte, muchos occidentales han transformado la historia de la crisis asiática en una especie de juego moral, en el que las economías reciben su inevitable castigo por los pecados del capitalismo de compadrazgo. Después de la catástrofe, todos tenían una historia sobre los excesos y la corrupción de la región; sobre aquellas sociedades financieras, sobre los planes grandiosos de Malasia para un «pasillo tecnológico», sobre las fortunas amasadas por la familia de Suharto, sobre la extraña diversificación de los conglomerados coreanos (¿ha oído usted la historia sobre la empresa de ropa interior que compró una estación de esquí, y con el tiempo tuvo que vendérsela a Michael Jackson?). Pero este juego de moralidad es problemático por lo menos en dos de las acusaciones.

En primer lugar, aunque el compadrazgo y la corrupción eran muy reales en Asia, no había nada nuevo en ellos. Los *chaebol* coreanos eran esencialmente empresas familiares con la apariencia de sociedades modernas, cuyos propietarios se habían acostumbrado a un trato especial —acceso preferente al crédito, a las licencias de importación, a las subvenciones gubernamentales— durante décadas. Y aquéllas eran décadas de crecimiento económico espectacular. No era un buen sistema según los patrones occidentales, pero funcionó muy bien durante treinta y cinco años. Lo mismo puede decirse, en menor medida, de todos los países atrapados por la crisis. ¿Por qué sus defectos llegaron a ser decisivos sólo en 1997?

Y un punto que está relacionado con lo anterior: si la crisis era un castigo por los pecados de las economías asiáticas, ¿cómo fue que economías que no se encontraban en absoluto muy por debajo de la senda de desarrollo se dieran todas contra la pared al mismo tiempo? Corea, en 1997, estaba alcanzando un nivel cercano al de un país desarrollado, con una renta per cápita comparable a la de los países del sur de Europa; Indonesia era todavía un país muy pobre, cuyo progreso podía medirse en términos de la cantidad de calorías diarias que la gente podía consumir. ¿Cómo es que un par de países tan dispares pudo caer simultáneamente en la crisis?

La única respuesta que tiene sentido, al menos para mí, es que la crisis *no* era (principalmente) un castigo por los pecados. Había fallos reales en estas economías, pero el error principal era una vulnerabilidad ante el pánico autogenerado.

Volvamos a los pánicos bancarios: en 1931, cerca de la mitad de los bancos de Estados Unidos quebraron. Estos bancos no eran en absoluto todos iguales. Algunos estaban muy mal gestionados; algunos asumieron excesivos riesgos, incluso considerando lo que ellos sabían antes de 1929; otros estaban gestionados razonablemente bien, incluso de forma conservadora. Pero cuando el pánico se propagó por todo el país, y los depositantes en todas partes exigieron inmediatamente su dinero, nada de esto importó; sólo los bancos que habían sido en extremo conservadores, los que habían mantenido en efectivo lo que en tiempos normales sería una proporción excesivamente grande de sus depósitos, sobrevivieron. De modo semejante, Tailandia tenía una economía mal gestionada, que se había endeudado de forma exagerada y había invertido en proyectos muy dudosos; Indonesia, con toda su corrupción, era mucho menos culpable, y verdaderamente tenía las virtudes que aquellos varones prudentes imaginaban; pero en el pánico aquellas distinciones no contaron.

¿Eran las economías asiáticas más vulnerables al pánico financiero en 1997 de lo que habían sido, digamos, cinco o diez años antes? Sí, es casi seguro; pero no a causa del capitalismo de compadrazgo, o ciertamente de lo que se considerarían por lo general malas políticas gubernamentales. Más bien se habían hecho más vulnerables, en parte, porque habían abierto sus mercados financieros, porque se habían convertido, de hecho, en mejores economías de libre mercado, no en peores. Y también se habían hecho vulnerables porque habían aprovechado su nueva popularidad entre los prestamistas internacionales para asumir deudas sustanciales frente al mundo exterior. Estas deudas intensificaron la realimentación que se establece entre la pérdida de confianza y el colapso financiero, y de nuevo en el sentido opuesto, intensificando el círculo vicioso de la crisis. No era que el dinero se gastase de mala forma: parte del mismo sí y parte no. Era que las nuevas deudas, a diferencia de las viejas, eran en dólares, y esto se convirtió en la ruina de las economías.

Epílogo: Argentina, 2002

Argentina no está en Asia. (¡Menuda sorpresa!) Pero Argentina sufrió, en 2002, una crisis similar a las asiáticas que puso clara y dolorosamente de manifiesto cómo una política económica ampliamente elogiada puede llevar al desastre a un país.

Me he referido a la historia económica de Argentina en el capítulo 2. Tras generaciones de uso y abuso irresponsable de las imprentas, en 1991 el gobierno argentino intentó acabar con aquella situación creando una junta monetaria que debía establecer un tipo de cambio estable entre el peso argentino y el dólar estadounidense. En principio, cada peso en circulación estaba respaldado por un dólar en reservas, sin matices. Y esta estabilidad monetaria, confiaban, había de servir para garantizar que la prosperidad se mantendría.

Como vimos en el capítulo 2, Argentina flirteó con el desastre en 1995, cuando las repercusiones de la crisis mexicana estuvieron a punto de llevarse por delante el sistema bancario. Sin embargo, la confianza regresó al tiempo que la crisis quedaba atrás. Los observadores extranjeros siguieron colmando de alabanzas a la economía argentina y a sus responsables, y el capital extranjero entró, principalmente en forma de préstamos en dólares a empresarios y particulares argentinos.

A finales de los años noventa, todo empezó a torcerse.

De entrada, el problema era la rigidez del sistema del tipo de cambio, que establecía la paridad entre el peso y el dólar. Esta cuestión no habría supuesto ningún problema si, como en el caso de México, Estados Unidos hubiera sido el principal socio comercial argentino. Echemos, sin embargo, un vistazo al mapa: Argentina está tan cerca de Estados Unidos como de Europa y, de hecho, mantiene más relaciones comerciales con la Unión Europea y con Brasil, su vecino, que con Estados Unidos. Además, el sistema monetario argentino *no* garantizaba unos tipos de cambio estables ni con el euro, ni con el real, la moneda de Brasil. Todo lo contrario: el sistema tendía a provocar fluctuaciones gratuitas en esos tipos de cambio y, por extensión, en la posición de Argentina como socio comercial. Si, por ejemplo, la cotización del dólar frente al euro subía por el motivo que fuera, las exportaciones argentinas perderían presencia en los mercados europeos.

Y eso mismo fue lo que le sucedió a Argentina a partir de finales de los años noventa. Por un lado, el dólar se desplomó frente al euro; el euro llegó a cotizarse a solamente 0,85 dólares, en comparación con la cotización en el momento de escribir estas líneas, que es de 1,26 dólares. Por otro lado, Brasil se contagió de la crisis financiera rusa (véase el capítulo 6) y devaluó repentinamente el real. El efecto combinado de estas variaciones en el tipo de cambio fue que las exportaciones argentinas perdieron mucha competitividad, lo que arrastró al país a una recesión.

El hundimiento de la economía argentina provocó la pérdida de confianza de los inversores. El capital dejó de entrar en el país para salir, y el crédito se derrumbó. Asimismo, en 1995, la pérdida de fondos extranjeros hizo que el sistema bancario entrara en crisis.

Los gobernantes argentinos intentaron por todos los medios contener una crisis que iba en aumento. Con la esperanza de recuperar la confianza de los inversores extranjeros, recortaron drásticamente el gasto, y agravaron así la recesión. Limitaron la retirada de fondos de los bancos, una medida que provocó airadas manifestaciones a las puertas de la Casa Rosada, durante las que las amas de casa se dedicaban a aporrear cacerolas y sartenes. Nada parecía funcionar. A finales de 2001, el gobierno se reconoció incapaz de mantener la paridad entre el peso y el dólar. El valor del peso argentino se desplomó, pasando de un dólar a treinta centavos.

Los resultados iniciales del hundimiento de la divisa fueron catastróficos, como ya había sucedido con las divisas asiáticas. Dado que muchas empresas y particulares argentinos habían contraído deudas en dólares, la subida de la cotización del dólar fue trágica a efectos contables, y llevó a muchos a la quiebra. La economía se hundió: el PNB real cayó un 11 por 100 en 2002, después de una primera caída de un 4 por 100 en 2001. En total, la economía argentina se encogió un 18 por 100 entre 1998 y 2002, una contracción similar a la que se produjo durante la Gran Depresión.

Durante los cinco años siguientes, Argentina hizo gala de una extraordinaria capacidad de recuperación, gracias en parte al acuerdo alcanzado por el gobierno en virtud del cual solamente devolvería treinta centavos por cada dólar de deuda externa. (Uno de mis titulares preferidos de todos los tiempos, extraído de una noticia de Reuters acerca de las negociaciones sobre la deuda, rezaba: «Argentina a los acreedores: "De acuerdo. Denunciadnos"».) Sin embargo, aquélla fue una experiencia aterradora. Y, cuando este libro iba a imprenta, Argentina volvía a estar sumida en una crisis.

LA CUESTIÓN MÁS PROFUNDA

Muchos comentaristas de la crisis asiática discutirían probablemente algún detalle de la descripción que se ha hecho en este capítulo. Alguno argumentaría que el perjuicio causado por el préstamo impulsado por el riesgo moral fue mayor de lo que sugiero; otro argumentaría, por el contrario, que las economías presentaban realmente un perfil muy bueno y que la crisis fue enteramente gratuita. El mecanismo exacto de la crisis —los respectivos papeles de las quiebras bancarias, los precios del suelo, los tipos de cambio, y así sucesivamente— será tema de mucha discusión durante los años, tal vez décadas, próximos. No obstante, en un sentido general, creo que esta descripción sería ampliamente aceptada.

La controversia real —la única que es acalorada y a menudo personal, porque los que critican la manera en que fue gestionada la crisis están criticando también a los que la gestionaron— tiene que ver con la política. ¿No hubo algo que pudo haberse hecho para limitar el daño a Asia? ¿Fracasaron los políticos en su tarea? ¿Hicieron, de hecho, que las cosas empeoraran?

5

Política de perversidad

EN DICIEMBRE DE 1930, CUANDO comenzaba a hacerse evidente que aquélla no era una recesión ordinaria, John Maynard Keynes intentó explicar las causas de la depresión al público en general. «Tenemos problemas en el magneto [alternador]», declaró. Era, en cierto modo, una afirmación radical, porque decía que el motor económico no arrancaría de nuevo por su propio impulso, sino que necesitaba un empujón por parte del gobierno. Pero en un sentido más profundo Keynes era un conservador: declaraba que el problema que tenía el motor no era fundamental, sino que podía tratarse mediante una reparación técnica. En una época en la que muchos de los intelectuales del mundo estaban convencidos de que el capitalismo era un sistema fracasado y que sólo adoptando una economía planificada centralmente podía Occidente salir de la Gran Depresión, Keynes decía que el capitalismo *no* estaba condenado, sino que un tipo muy limitado de intervención —intervención que no afectaría a la propiedad privada ni a la toma de decisiones privada— era todo lo que se necesitaba para hacer que el sistema funcionase.

Para confusión de los escépticos, el capitalismo sobrevivió; pero aunque los actuales entusiastas del libre mercado pueden considerar que esta proposición es difícil de aceptar, esta supervivencia se produjo básicamente en los términos que sugería Keynes. La segunda guerra mundial proporcionó el empujón que Keynes había estado recomendando con insistencia durante años; pero lo que restableció la fe en los mercados libres no fue precisamente la recuperación después de la depresión, sino la seguridad de que la intervención macroeconómica —reduciendo los tipos de interés o aumentando los déficits presupuestarios para luchar contra las recesiones— podía mantener una economía de libre mercado más o menos estable, con más o menos pleno empleo. En efecto, el capitalismo y sus economistas cerraron un trato con el público: no habrá ningún problema para tener mercados libres a partir de ahora, porque sabemos lo suficiente para evitar cualquier otra Gran Depresión.

Este acuerdo implícito tiene realmente un nombre: en los años cincuenta, Paul Samuelson, en su famoso manual, lo denominó «la síntesis neoclásica». Pero yo prefiero considerarlo como el «pacto keynesiano».

En Estados Unidos y en la mayoría de los demás países avanzados, se hace todavía honor a ese pacto. ¡Ah!, hay recesiones ahora y las había entonces. Sin embargo, cuando se producen, todos esperan que la Reserva Federal haga lo que hizo en 1975, en 1982 y en 1991: reducir los tipos de interés para reanimar la economía. Y nosotros también esperamos que el presidente y el Congreso reduzcan los impuestos y aumenten el gasto si es necesario para contribuir al proceso. Seguramente no esperamos que una recesión pueda afrontarse, al estilo de Herbert Hoover, aumentando los impuestos, reduciendo el gasto e incrementando los tipos de interés.

Pero cuando el desastre financiero se abatió sobre Asia, las políticas que siguieron aquellos países para hacerle frente fueron casi exactamente las contrarias de las que adopta Estados Unidos ante una depresión. La austeridad fiscal estaba a la orden del día; se aumentaron los tipos de interés, a menudo hasta límites punitivos. Esto no era porque los políticos de aquellos países fueran estúpidos o estuvieran mal informados. Por el contrario, en su mayor parte comprendieron muy bien el pacto keynesiano y ciertamente habían intentado adherirse a él en el pasado (recuérdense los elogios del Banco Mundial por su «ortodoxia pragmática»). De cualquier modo, una vez que se desató la crisis, los países asiáticos vieron que sus políticas eran dictadas en gran medida por Washington, esto es, por el Fondo Monetario Internacional y el Tesoro estadounidense. Y el liderazgo de aquellas instituciones es extremadamente complejo: puede decirse que nunca en la historia han ocupado tantos economistas de primera fila posiciones de tanta autoridad.

¿Por qué estos hombres tremendamente inteligentes defendieron políticas para las economías de mercado emergentes que habrían sido consideradas completamente perversas si se aplicasen en casa? (Si Estados Unidos tuviera que aumentar los impuestos y los tipos de interés ante una recesión, también nosotros podríamos experimentar un desastre económico.) En pocas palabras, la respuesta sólo tiene sentido si se la sitúa en su contexto: en particular, si empleamos algún tiempo intentando comprender los dilemas del dinero internacional.

CÓMO NO EVOLUCIONÓ EL SISTEMA MONETARIO INTERNACIONAL

Érase una vez un mundo que tenía una sola moneda, el globo. Estaba bien administrada: el Banco de la Reserva Global (popularmente conocido como el Glob), bajo la dirección de su presidente, Alan Globespan, realizaba un buen trabajo aumentando la oferta de moneda global cuando el mundo se veía amenazado por una recesión y reduciéndola cuando existían indicios de inflación. En efecto, en los últimos años alguien recordaría el reinado del globo como una edad de oro. A los hombres de negocios, en particular, les gustaba el sistema, porque podían comprar y vender en cualquier parte con un mínimo de problemas.

Pero hubo problemas en el paraíso. Mira por dónde, aunque la gestión cuidadosa del globo podía evitar un ciclo auge-depresión *en todo el mundo,* no podía hacer lo propio en cada una de las partes del conjunto. En efecto, resultó que a menudo había conflictos de interés acerca de la política monetaria. A veces, el Glob seguía una política de dinero fácil porque Europa y Asia estaban al borde de la recesión; pero ese dinero fácil alimentaba un auge especulativo salvaje en América del Norte. Otras veces el Glob se sentía obligado a aplicar una política monetaria más severa para erradicar la inflación en América del Norte, intensificando una recesión que se estaba desarrollando en Sudamérica. Y como no existían monedas continentales independientes, los gobiernos continentales no podían hacer nada frente a estos problemas.

Al fin llegó un tiempo en el que las frustraciones se hicieron demasiado grandes y el sistema se deshizo. En lugar del globo, cada continente introdujo su propia moneda, y procedió a perseguir políticas monetarias adaptadas a sus propias necesidades. Cuando la economía de Europa estaba sobrecalentada, podía reducir la oferta de euros; cuando Latinoamérica se deprimía, podía aumentar la oferta de latinos. La dificultad de una política monetaria polivalente se había superado.

Pero pronto resultó que la resolución de un problema creaba otro, porque los tipos de cambio entre las monedas continentales fluctuaban violentamente. Uno podría haber pensado que el tipo de cambio entre, digamos, el latino y el euro, vendría determinado por las necesidades del comercio: los latinoamericanos cambiarían latinos por euros para comprar bienes europeos, y al revés. Sin embargo, pronto se vio claramente que el mercado estaba dominado principalmente por inversionistas, personas que compran y venden monedas para adquirir acciones y bonos. Y como estas demandas de inversión eran muy variables, incluyendo un gran componente de especulación, los valores de las monedas también se mostraban inestables. Y lo que es todavía peor, la gente comenzó a especular con los valores de las propias monedas. El resultado fue que los tipos de cambio oscilaban constantemente y generaban incertidumbre para los negocios, que nunca podían estar seguros de lo que valían realmente sus activos y obligaciones en el exterior.

Así, algunos continentes intentaron estabilizar los tipos de cambio, comprando y vendiendo en el mercado de divisas para mantener constante el precio de un euro en términos de afros, o de un gringo en términos de latinos. Sin embargo, los bancos centrales se reservaron el derecho de modificar los tipos de cambio que se fijaban como objetivos si era necesario, digamos, devaluando su moneda si esto parecía necesario para luchar contra el paro.

¡Ay! Resultó que este sistema «de tipo de cambio fijo, pero regulable», ofrecía a los especuladores demasiados objetivos fáciles: cuando un continente experimentara dificultades económicas, y empezara a parecer que podía considerar una devaluación, los especuladores comenzarían a vender su moneda con anticipación; esto obligaría pronto al banco central continental a elevar los tipos de interés, lo que de hecho empeoraría la depresión, o a devaluar inmediatamente. O también —la única opción restante— podía intentar neutralizar directamente a los especuladores, estableciendo restricciones sobre el movimiento de capitales.

Y de esta manera los continentes del mundo se vieron obligados a elegir uno de los tres «regímenes monetarios», cada uno de los cuales tenía un serio defecto. Podían optar por mantener una política monetaria independiente y dejar que el tipo de cambio fluctuase como quisiera; esto les daba libertad para luchar contra las recesiones, pero introducía una incertidumbre perjudicial en la vida de los negocios. Podían fijar el valor del tipo de cambio e intentar convencer a los mercados de que nunca devaluarían; esto haría que la vida de los negocios fuera más sencilla y segura, pero volvería a plantear el problema de una política monetaria polivalente. O podían, por último, continuar manteniendo un tipo de cambio fijo, pero regulable, esto es, podían fijar el tipo de cambio pero conservando la opción de modificarlo; pero esto únicamente era viable si se mantenían controles sobre los movimientos de capital, los cuales eran difíciles de hacer cumplir, imponían costes adicionales sobre los negocios y —como cualquier prohibición sobre transacciones potencialmente rentables— eran una fuente de corrupción.

Bien, de acuerdo, esto no sucedió en absoluto en la realidad. Nunca hubo un globo; la cosa más parecida fue el patrón oro de los años anteriores a la década de los treinta, que desgraciadamente *no* fue administrado de forma que evitara auges y crisis de alcance mundial. Pero nuestra imaginaria historia ilustra con un poco más de claridad las complejidades de lo que sucedería de hecho con el dilema triangular, o «trilema», en el que las economías nacionales se enfrentasen en un economía global.

Considerémoslo de este modo. Hay tres cosas que los responsables macroeconómicos exigen para sus economías. Exigen discreción en la política monetaria, de manera que puedan luchar contra las recesiones y frenar la inflación. Requieren tipos de cambio estables, para que la actividad económica no se enfrente con demasiada incertidumbre. Y quieren dejar en libertad la actividad económica internacional —en particular, permitir que las personas cambien el dinero que deseen— a fin de que funcione a la manera del sector privado.

Lo que nos dice la historia del globo y su desenlace es que los países no pueden satisfacer simultáneamente los tres deseos, a lo sumo, pueden obtener dos. Pueden renunciar a la estabilidad del tipo de cambio: esto significa adoptar un tipo de cambio flotante, como Estados Unidos o Australia. Pueden renunciar a la política monetaria discrecional: esto significa fijar el tipo de cambio, como lo hizo Argentina, y tal vez renunciar a su propia moneda, como los países de la Europa continental. O pueden renunciar al principio de completa libertad de los mercados e imponer controles de capital: esto fue lo que hicieron muchos países entre los años cuarenta y sesenta, y lo que hacen China y Malasia hoy.

¿Cuál de estas tres respuestas imperfectas es mejor? Algunas personas consideran que los beneficios de los tipos de cambio estables son grandes y que los beneficios de la política monetaria independiente se sobreestiman; les gusta señalar que Estados Unidos, aunque extendido por todo un continente, tiene mucho que ver con una moneda única; unos 300 millones de europeos acaban de adoptar una moneda común, de modo que ¿por qué no todo el mundo? Pero muchos economistas destacarán que Estados Unidos posee características especiales que le ayudan a vivir con una moneda única: la más notable consiste en que los trabajadores pueden desplazarse y se desplazan rápidamente de las regiones deprimidas a las que están experimentando un auge, de modo que una misma política monetaria se ajusta más o menos a todas ellas. La introducción del euro, la nueva moneda de Europa, es en realidad un tema completamente polémico, y son muchos los economistas que se preguntan si a Europa le conviene de algún modo una moneda única, como a Estados Unidos. Pero, por lo menos, las principales economías europeas son más bien semejantes entre sí y están relacionadas de forma muy estrecha, de manera que la mayoría de las veces una política monetaria que es adecuada para Francia también lo será para Alemania, y viceversa. Sin embargo, es difícil ver cómo podría diseñarse una política monetaria adecuada para Japón y Estados Unidos, y no digamos para Estados Unidos y Argentina. Así que son relativamente pocos los economistas que sienten nostalgia por los días del patrón oro, o que fantasean sobre la llegada del globo; la independencia monetaria nacional, o tal vez regional, sigue siendo necesaria.

Por otra parte, los controles de capital que permitían a los países avanzados combinar tipos de cambio fijos con políticas keynesianas en la primera generación de la posguerra no están ahora en absoluto de moda. El problema fundamental de estos controles es que la distinción entre transacciones internacionales «buenas» y «malas» es difícil de establecer. Un especulador que saca su dinero de Malasia porque intenta beneficiarse de una devaluación está realizando una acción antisocial; un exportador malayo que consigue clientes extranjeros, en parte dejándoles comprar ahora y pagar más tarde, contribuye a que el país se abra camino en los mercados mundiales. Pero supongamos que el exportador, sospechando que el ringgit será devaluado pronto, pide a sus clientes que le paguen en dólares y les anima a esperar mucho tiempo antes de liquidar sus cuentas. El efecto es el mismo que si tomara ringgites y comprara dólares en el mercado negro. Y existen docenas de otros procedimientos en los que la línea divisoria entre el negocio productivo y la especulación monetaria puede estar poco clara. Lo que esto significa es, o que esos intentos de controlar la especulación serán evadidos fácilmente, o que el gobierno sólo puede limitar la especulación imponiendo onerosas restricciones sobre las transacciones ordinarias (por ejemplo, limitando el crédito que los exportadores pueden conceder a sus clientes). Hace cuarenta años muchos gobiernos consideraban estas restricciones como un precio que valía la pena pagar. Hoy, sin embargo, vivimos en un mundo que ha aprendido de nuevo las virtudes de los mercados libres, desconfía de la intervención gubernamental y es particularmente consciente de que cuantas más cosas se prohíban, más estímulo existirá para el soborno y el compadrazgo.

Dejar que floten libremente los tipos de cambio es lo que a mediados de los años noventa muchos economistas habían llegado a considerar como el menor de los tres males. Ciertamente, los tipos de cambio han demostrado repetidamente que son mucho más volátiles de lo que «debieran» ser, dados los elementos económicos fundamentales (a lo largo de los cinco últimos años, el tipo de cambio dólar-yen ha ido de 120 a 80, a cerca de 150, después por debajo de 110, todo ello con relativamente pocos cambios medibles en los elementos económicos fundamentales); e incluso aquellos que generalmente son partidarios de la flotación están de acuerdo en que las regiones fuertemente integradas que constituyen «áreas monetarias óptimas» debieran adoptar la forma última de tipos de cambio fijos, o sea una moneda común. (Si Europa constituye un área de esta clase es otra cuestión.) Pero como regla general la alternativa que prefiere la mayoría de los economistas —y, en particular, la más coherente con el pacto keynesiano, porque deja libres a los países para perseguir políticas de libre mercado y pleno empleo— es un tipo de cambio flotante.

Las virtudes de tal flotación libre, cuando funciona, no son difíciles de demostrar. Estados Unidos está bien servido con su política general de permisividad benigna respecto al valor del dólar en divisas; aunque los tipos de cambio entre el dólar y el yen, y entre el dólar y el euro, puedan experimentar una evolución importuna, esta molestia es seguramente poca cosa comparada con la libertad de acción que el hecho de no estar comprometido con un tipo de cambio le da a la Reserva Federal: la capacidad de reducir los tipos de interés de forma brusca e inmediata cuando surge la amenaza de recesiones o crisis financieras.

Todavía mejor, consideremos el ejemplo de Australia. En 1996, un dólar australiano valía casi 0,80 dólares estadounidenses. Durante el pasado verano de 1998 había bajado a poco menos de 0,60 dólares. No hay en ello nada sorprendente: la mayor parte de las exportaciones australianas va a Japón o a los afligidos tigres. Pero

Australia, excepto durante un breve período del verano (más sobre esto en el siguiente capítulo), no intentó sostener su moneda, comprándola en el mercado de divisas o elevando los tipos de interés. En cambio, la caída de la moneda se demostró autolimitativa: cuando cayó el dólar australiano, los inversionistas lo consideraron como una oportunidad barata para invertir en la que seguían considerando una economía sólida. Y esta confianza aparece justificada por el «milagro australiano»: a pesar de su dependencia de los mercados asiáticos, Australia ha experimentado realmente un auge durante el año pasado.

Pero si Australia pudo evitar tan fácilmente verse envuelta en la catástrofe económica de sus vecinos, ¿por qué no podían hacer lo mismo Indonesia o Corea del Sur?

EL TRATO ESPECULATIVO

Imaginemos una economía que no sea perfecta. (¿Qué economía lo es?) Tal vez el gobierno tiene un déficit presupuestario que, aunque no amenaza realmente su solvencia, está disminuyendo con más lentitud de la que debiera, o puede que bancos con relaciones políticas hayan concedido demasiados préstamos a prestatarios discutibles. Pero, en la medida en que alguien pueda decirlo examinando las cifras, no existen problemas que no puedan tratarse con una determinada buena voluntad y unos pocos años de estabilidad.

Entonces, por alguna razón —tal vez una crisis económica en la otra parte del mundo—, los inversionistas se ponen nerviosos y empiezan a sacar su dinero en masa. De repente, el país se encuentra en dificultades, su mercado de valores se hunde y sus tipos de interés se disparan. Usted podría pensar que los inversionistas con inteligencia verían esto como una oportunidad de comprar. Después de todo, si los elementos fundamentales no han cambiado, ¿no significa esto que los activos están ahora devaluados? Pero, como hemos visto en el capítulo 4, la respuesta es: «No necesariamente». La crisis de los valores de los activos puede provocar previamente el hundimiento de bancos sanos; la depresión económica, los tipos de interés altos y un tipo de cambio devaluado pueden hacer que sociedades sanas vayan a la quiebra; y, lo que es peor, las dificultades económicas pueden ocasionar inestabilidad política. Puede que comprar cuando todos se apresuran a salir no sea después de todo una idea tan buena; puede que sea mejor apresurarse a salir uno mismo.

Así, en principio es posible que una pérdida de confianza en un país pueda producir una crisis económica que justifique esa pérdida de confianza; que los países pueden ser vulnerables a lo que los economistas llaman «ataques especulativos autogenerados». Y aunque muchos economistas suelen ser escépticos sobre la importancia de tales crisis autogeneradas, la experiencia de los años noventa en Latinoamérica y Asia ha disipado aquellas dudas, al menos en la práctica.

Lo divertido es que una vez que usted toma en serio la posibilidad de crisis autogeneradas, la psicología del mercado llega a ser decisiva —tan decisiva que dentro de unos límites las expectativas e incluso los prejuicios de los inversionistas se convierten en elementos económicos fundamentales—, porque la creencia en ellos hace que se cumplan.

Supongamos, por ejemplo, que todos están convencidos de que a pesar de su notablemente elevada dependencia del capital extranjero (tiene grandes déficits por cuenta corriente de más del 4 por 100 del PIB, durante décadas) Australia es básicamente un país sano, que puede considerarse política y económicamente estable. Entonces, la respuesta del mercado a un descenso del dólar australiano consiste, efectivamente, en decir: «Bueno, esto ha terminado, compremos australiano», y la economía, de hecho, se beneficia. Por lo tanto, la buena opinión del mercado se confirma.

Por otra parte, supongamos que a pesar de veinte años de notable progreso, las personas no están del todo convencidas de que Indonesia ya no sea el país de *El año que vivimos peligrosamente*. Entonces, cuando la rupia cae pueden decir: «¡Oh, Dios mío, volvemos a los malos tiempos de antes!»; las huidas de capital resultantes conducen a la crisis financiera, económica y política, y la mala opinión del mercado se confirma de modo semejante.

Parece, en otras palabras, que existe una especie de doble patrón puesto en vigor por los mercados. La opinión común entre los economistas de que los tipos flotantes son la mejor solución, aunque imperfecta, del trilema monetario internacional, se basaba en la experiencia de países como Canadá, Gran Bretaña y Estados Unidos. Y, efectivamente, los tipos de cambio flotantes funcionan bastante bien en los países del Primer Mundo, porque los mercados están preparados para conceder a aquellos países el beneficio de la duda. Pero desde 1994, un país del Tercer Mundo tras otro —México, Tailandia, Indonesia, Corea y, más recientemente, Brasil— han descubierto que no pueden esperar el mismo tratamiento. Una y otra vez, los intentos para efectuar devaluaciones moderadas han llevado a una drástica caída de la confianza. Y así, ahora, los mercados creen que las devaluaciones en tales países son cosas terribles, y como los mercados creen esto, lo son.

Es este problema de confianza —un problema que los asiáticos consideraban habitualmente que no se aplicaba a ellos, pero que ahora se aplica claramente a todos los países del Tercer Mundo— el que en último término explica el porqué de la ruptura del pacto keynesiano.

EL JUEGO DE LA CONFIANZA

En el verano de 1998, Brasil ya estaba padeciendo una recesión económica; el paro aumentaba, aunque la inflación —la enfermedad tradicional de Brasil— había dado paso a la estabilidad de precios, y alguno hablaba incluso de deflación. Después, el colapso de la reforma económica en Rusia desencadenó un ataque sobre el real brasileño (¿por qué?; véase el capítulo 6), y el país acudía a Estados Unidos y al FMI en demanda de ayuda. Lo que Brasil necesitaba era dinero —todavía tenía unos 40.000 millones de dólares de reservas de divisas, pero necesitaba el respaldo de una línea de crédito— y, lo que es más importante, una especie de sello del buen gobierno de la casa en sus políticas, algo que convencería a los inversionistas nerviosos para que dejasen de correr.

Así pues, ¿qué implicaba el programa? Programa, recordémoslo, deseado para un país con una economía que disminuía su ritmo y sin hablar de inflación. Impuestos más elevados, menor gasto gubernamental y una continuación de tipos de interés extraordinariamente altos (Brasil había aumentado los tipos hasta cerca del 50 por 100 cuando comenzó la crisis). En otras palabras, el gobierno se comprometió a seguir políticas monetarias y fiscales sumamente rigurosas, que garantizarían absolutamente que el país experimentaría una grave recesión en 1999.

El programa para Brasil fue particularmente excepcional, fue casi como una caricatura de las políticas que habían sido introducidas en Asia el año anterior. Pero como muchas caricaturas, exageraba los rasgos distintivos de su sujeto. En el núcleo de las políticas impuestas por Washington durante los últimos años, en un país tras otro, hay una inversión casi perfecta del pacto keynesiano: enfrentados con una crisis económica, los países se sienten empujados a elevar los tipos de interés, reducir el gasto y aumentar los impuestos.

¿Por qué, sesenta años después de Keynes, alguien consideraría que era una buena idea romper tan profundamente con el pacto keynesiano? La respuesta descansa en el doble patrón y en la necesidad percibida de ganar a toda costa la confianza del mercado.

Ante todo, la solución australiana —dejar que la moneda pierda valor— quedaba descartada. El tipo de cambio fijo entre el real brasileño y el dólar ha sido objeto del mayor interés en el programa de reforma del país, el programa que había traído la estabilidad de precios después de generaciones de elevada inflación. Brasil y Washington temían que renunciar a ese tipo fijo fuera devastador para la confianza del inversionista. Ciertamente, se podría argumentar muy bien que el real estaba, digamos, un 20 por 100 sobrevalorado y que una devaluación del 20 por 100 le haría al país mucho más bien que mal. Pero nadie creía que una devaluación de un 20 por 100 fuera una estrategia posible: como dijo un funcionario norteamericano: «Para los países en vías de desarrollo no hay devaluaciones pequeñas».

¿Cómo podía evitarse una devaluación del real? El FMI podía proporcionar dinero que, junto con las propias reservas de divisas del país, podía utilizarse para respaldar la moneda en los mercados. Pero este dinero se iría pronto, a menos que pudiera hacerse algo para evitar la huida del capital. El único instrumento que se tenía a mano de inmediato era la aplicación de tipos de interés muy altos, lo suficientemente altos para convencer a las personas de que mantuviesen el dinero en Brasil, aun cuando sospecharan que su moneda pudiera terminar con una devaluación.

Eso no era todo. Cuando los mercados decidieron que Brasil era un mal riesgo, también decidieron que en el centro de los problemas de Brasil estaba su gran déficit presupuestario. Ahora bien, podría cuestionarse esa afirmación. El gobierno de Brasil, de hecho, no tenía tanta deuda: ésta era considerablemente menor, en proporción a la renta nacional, que la de muchos países europeos o que la de Japón. Y buena parte del déficit era en realidad una consecuencia de la crisis: aquellos elevados tipos de interés incrementaban los pagos de intereses por parte del gobierno, mientras que la economía en fase de depresión reducía los ingresos fiscales. (A niveles «normales» de empleo y tipos de interés, el déficit presupuestario de Brasil habría sido completamente modesto.) Pero ¿cómo se utilizaba la argumentación? Los inversionistas creían que Brasil tendría una crisis desastrosa a menos que se redujera rápidamente el déficit, y seguramente tenían razón, porque ellos mismos generarían esa crisis. (Y efectivamente lo hicieron, en enero de 1999.)

La cuestión es que, a causa de que los ataques especulativos pueden ser autojustificantes, seguir una política económica que tiene sentido en términos de los elementos económicos fundamentales no basta para asegurar la confianza del mercado. De hecho, la necesidad de ganar esa confianza puede en realidad impedir que un país siga políticas sensatas y le obliga a seguir políticas que normalmente parecerían perversas.

Ahora bien, consideremos la situación desde el punto de vista de aquellos economistas inteligentes que dirigían la política en Washington. Se encontraron tratando economías débilmente respaldadas por la confianza del inversionista; casi por definición, un país que ha acudido a Estados Unidos y/o al FMI en demanda de ayuda es un país que ya ha experimentado una devastadora caída de su moneda y se encuentra en peligro de padecer otra. El objetivo predominante de la política debe ser, por tanto, apaciguar la opinión del mercado. Pero como las crisis pueden ser autogeneradas, una política económica sana no es suficiente para ganar la confianza del mercado; uno debe estar atento a las percepciones, prejuicios y caprichos del mismo. O, más bien, debe atender a lo que uno *espera* serán las percepciones del mercado.

Y así es como se rompió el pacto keynesiano: la política económica internacional acabó teniendo muy poco que ver con la economía. Se convirtió en un ejercicio de psicología *amateur,* en el que el FMI y el Departamento del Tesoro intentaban persuadir a los países para que hicieran las cosas que ellos esperaban que el mercado percibiría como favorables. No es sorprendente que los manuales de economía salieran por la ventana tan pronto como se produjo la crisis.

Desgraciadamente, los temas de manual no desaparecieron. Supongamos que Washington tenía razón, que un país amenazado por un pánico de los inversionistas debe elevar los tipos de interés, reducir el gasto y defender su moneda para evitar una crisis devastadora. Sigue siendo cierto que las políticas monetarias y fiscales rigurosas, junto con una moneda sobrevalorada, producen recesiones. ¿Qué remedio ofrece Washington? Ninguno. La necesidad percibida de jugar el juego de la confianza sustituye a los intereses normales de la política económica. Parece bastante insensato, y lo es.

Y así ahora hemos solucionado el misterio con el que finalizaba el capítulo 4: ¿por qué fracasó la política para enfrentarse al devastador proceso de realimentación que produjo el desastre en una economía tras otra? La respuesta es que los que hacían la política creían que tenían que jugar el juego de la confianza, y que esto significaba seguir políticas macroeconómicas que exacerbaron las depresiones en lugar de aliviarlas.

Pero ¿era realmente necesario jugar este juego?

¿Empeoró la situación el FMI?

Nadie quiere al Fondo Monetario Internacional: si alguno lo hiciera sería una mala señal. Porque el FMI es un «prestamista en última instancia» para los gobiernos nacionales: es el lugar donde van en busca de dinero cuando tienen problemas. Y se supone que los prestamistas en última instancia practican el amor severo: darle a uno lo que necesita, más que lo que quiere, y obligarle a entrar en el proceso. Un FMI cálido y mimoso no estaría haciendo su trabajo como cabría esperar.

Pero lo contrario no es necesariamente cierto: que la gente odie al FMI no quiere decir que esté haciendo bien su trabajo. Y desde el inicio de la crisis asiática se han producido muchas quejas en relación con el papel del FMI. Pocas personas creen que el FMI (y el departamento del Tesoro estadounidense, que en gran medida impone de hecho las políticas del FMI) provocó realmente la crisis, o que administró mal la crisis de una forma que la agravó mucho más de lo necesario. ¿Tienen razón?

Comencemos por la parte fácil: dos cosas en las que el FMI se equivocó claramente.

En primer lugar, cuando el FMI fue llamado a Tailandia, Indonesia y Corea, pidió rápidamente que dichos países practicaran la austeridad fiscal: que aumentasen los impuestos y redujeran el gasto, a fin de evitar grandes déficits presupuestarios. Era difícil de entender por qué esto era parte del programa, puesto que en Asia (a diferencia de Brasil un año más tarde) nadie, excepto el FMI, parecía considerar los déficits presupuestarios como un problema importante. Y el intento de satisfacer estas líneas directrices tenía un efecto doblemente negativo sobre los países: donde se satisficieron las líneas directrices, el efecto fue empeorar la recesión, reduciendo la demanda; donde no se sometieron a dichas pautas, el efecto fue aumentar, innecesariamente, la sensación de que las cosas estaban fuera de control y, por lo tanto, alimentar el pánico del mercado.

En segundo lugar, el FMI exigió la reforma «estructural» —es decir, cambios que iban mucho más allá de la política monetaria y fiscal— como condición para los préstamos a las economías afectadas. Algunas de estas reformas, como el cierre de los bancos insolventes, eran relevantes para la crisis financiera. Otras, como exigir que Indonesia eliminase la práctica de conceder a los amigos del presidente lucrativos monopolios en algunos negocios, parecen haber tenido poco que ver, si es que tenían algo, con el mandato del FMI. Cierto, el monopolio del clavo (especias) (que los indonesios gustan de poner en sus cigarrillos) era una mala cosa, un ejemplo manifiesto de capitalismo de compadrazgo en funcionamiento. Pero ¿qué tenía que ver con la caída de la rupia?

Si usted hubiera preguntado a los funcionarios del FMI de la época qué creían que estaban haciendo, habrían respondido que todo formaba parte del objetivo de rehacer la confianza. Los déficits presupuestarios no eran asunto del mercado en aquel momento, pero ellos consideraban que pronto lo serían; y también creían que era importante para los países hacer una demostración muy visible de que estaban combatiendo el compadrazgo y la corrupción, para convencer a los mercados de que realmente habían cambiado sus maneras de hacer. Uno casi podría describir esto como la opinión de que los gobiernos tenían que demostrar su seriedad castigándose a sí mismos —tuviera o no ese castigo alguna relevancia para los problemas inmediatos—, porque sólo así podrían recuperar la confianza del mercado.

Si ésa era la teoría, ha resultado completamente equivocada. Las líneas directrices del presupuesto, con el tiempo, se suavizaron, y nadie se preocupó; en el momento en que esto se escribe, los mercados parecen estar una vez más en alza en Corea, aun cuando la reforma estructural parece haberse detenido. Entretanto, la gran amplitud de las exigencias del FMI, junto con la creciente sospecha de que Estados Unidos intentaba utilizar la crisis para imponer su visión ideológica en Asia, garantizaba un período más o menos prolongado de discusión entre los gobiernos asiáticos y sus salvadores, un período durante el cual la crisis de confianza se agravó constantemente.

Así, el FMI chapuceó dos piezas importantes del salvamento. Pero los temas realmente notables se referían a los tipos de interés y a los tipos de cambio. ¿También éstos se chapucearon?

He aquí lo que hizo el FMI: en Asia (contrariamente a Brasil, que como he dicho fue una especie de caricatura de los programas asiáticos) no se habló a los países de defender los valores de sus monedas a toda costa. Pero se les dijo que aumentasen los tipos de interés, al principio a niveles muy altos, en un intento de convencer a los inversionistas para que mantuviesen su dinero en aquellos países. Algunos críticos vocingleros del FMI —muy especialmente Jeffrey Sachs, de Harvard— dicen que esto fue, con mucho, lo peor que se podía hacer. En efecto, Sachs cree que los países asiáticos podían y debían haberse comportado como Australia, dejando simplemente que sus monedas se fueran devaluando hasta que comenzaran a parecer baratas para los inversionistas, y que si lo hubieran hecho así, nunca se hubiera producido la gran depresión.

Lo que el FMI dice en respuesta es que Asia no es Australia: que dejar caer sin ningún tipo de freno las monedas habría conducido a «hiperdevaluaciones», y que el resultado habría sido un cúmulo de problemas financieros imponentes (porque había muchos negocios que tenían deuda denominada en dólares) y la inflación se habría disparado. El problema de este razonamiento lógico es, por supuesto, que las formidables dificultades financieras se produjeron de todas formas, debido a los elevados tipos de interés y a la recesión que contribuyeron a provocar; así que el FMI, en el mejor de los casos, sólo evitó un círculo vicioso comenzando otro.

Esta misma observación socava el argumento de muchos críticos derechistas del FMI, de que *debía* haber dicho a los países que defendieran sus tipos de cambio originales a toda costa. Esto, efectivamente, podría haber evitado el colapso de la confianza en las *monedas* asiáticas, pero no habría hecho nada para impedir el hundimiento de la confianza en las *economías* asiáticas y, por lo tanto, el desastre económico probablemente se habría producido de igual forma.

¿Hubiera sido mejor dejar caer simplemente las monedas? Sachs argumenta que si *no* hubieran elevado los tipos de interés, los gobiernos habrían impedido que se alimentase el pánico financiero; el resultado habría sido modesto, devaluaciones soportables y unos resultados económicos mucho mejores. Este argumento, que les pareció poco convincente a muchas personas (incluyéndome a mí mismo) en la época de la crisis asiática, ganó un poco más de credibilidad en enero de 1999, cuando Washington chapuceó clarísimamente en el caso de Brasil; pero habrá más sobre esto en el capítulo 7.

Seguramente, sin embargo, el criterio último es que no había buenas alternativas. Las reglas del Nuevo Orden Mundial, así lo parecía, no ofrecían ninguna salida a los países en vías de desarrollo. Y por ese motivo nadie tuvo realmente la culpa de que las cosas fuesen tan mal.

Lo que no equivale a decir que no hubiera malvados en la conspiración.

6

Los Amos del Universo

EN LOS VIEJOS MALOS TIEMPOS, antes del Nuevo Orden Mundial, la figura de un malvado especulador —el malhechor que posee grandes riquezas y manipula los mercados en detrimento de los honrados trabajadores— era un tópico importante de la cultura popular. Pero con la caída del comunismo, los éxitos de la globalización y el restablecimiento general de la fe en los mercados libres, el malvado especulador siguió el camino de las brujas y hechiceros: las personas serias dejaron de creer en su existencia. Nadie, excepto los defensores más radicales del *laissez faire,* negaba que hubiera casos en los que la gente negociara con información confidencial y tal vez incluso manipulara el precio de una acción por aquí o una mercancía por allí. Pero seguramente éste era un delito insignificante; los grandes acontecimientos financieros, los que conforman el destino de los países, afectan a mercados demasiado grandes para que sean plausibles las teorías de la conspiración. Ningún individuo o pequeños grupos podían realmente modificar con sus actos el valor de la moneda de una economía de dimensión incluso mediana, ¿no?

Bien, tal vez sí que podían. Uno de los aspectos más extraños de la crisis económica de los últimos años ha sido el importante papel desempeñado por los *hedge funds,* instituciones financieras que pueden asumir temporalmente el control de activos muy superiores a la riqueza de sus propietarios. Indudablemente, los *hedge funds,* con su éxito y con su fracaso, han sacudido los mercados mundiales; y por lo menos en unos pocos casos, el malvado especulador ha vuelto a aparecer en escena.

LA NATURALEZA DE LA BESTIA

Los *hedge funds* no se comprometen. En efecto, hacen más o menos lo contrario. *To hedge,* dice el diccionario *Webster's,* es «intentar evitar o reducir pérdidas haciendo jugadas, apuestas, inversiones, etc., compensadoras». Esto es, uno lleva a cabo ese tipo de actuación para asegurarse de que las fluctuaciones del mercado *no* afecten a su riqueza.

Lo que hacen los *hedge funds,* en cambio, es intentar precisamente que el mercado fluctúe lo más posible. La forma en que lo hacen consiste generalmente en ir corto en algunos activos —esto es, prometer entregarlos a un precio fijado en alguna fecha futura— e ir largo en otros. Los beneficios se obtienen si cae el precio de los activos cortos (de manera que pueden entregarse a un precio barato) o aumenta el de los activos adquiridos, o ambas cosas a la vez.*

* La terminología de posiciones «cortas» frente a posiciones «largas» es jerga, pero es una expresión taquigráfica demasiado útil para no hacer uso de ella en este libro. Básicamente, ir largo en algo es situarse en posición de ganar si su precio aumenta, que es lo que hace el inversionista corriente cuando compra valores, bienes raíces o cualquier otra cosa. Ir corto en algo es situarse en posición de ganar si su precio *baja.* Para vender un valor corto uno toma en préstamo el valor de su propietario, con la promesa de devolverlo más tarde, y después lo vende. Esto quiere decir que el valor debe ser recomprado antes de la fecha debida; el vendedor al descubierto apuesta que su precio habrá bajado para entonces. Entretanto, el vendedor al descubierto ha obtenido liquidez adicional, que puede ser invertida en algo más, es decir, toma una posición larga en cualquier otro activo.

Por supuesto, los propietarios de los activos tomados en préstamo tienen que ser reasegurados de que el vendedor al descubierto tendrá realmente suficiente liquidez para recomprar el activo, de manera que necesitarán algún tipo de reaseguro que tenga suficiente valor para cumplir su promesa. Cuando los in-

El aspecto positivo de esta clase de juego financiero está en que puede proporcionar un rendimiento muy alto a los inversionistas en *hedge funds*. La razón estriba en que el fondo puede tomar una posición mucho mayor que la suma de dinero que sus propietarios invierten en él, porque compra su posición «larga» principalmente con la liquidez obtenida creando su posición «corta». En efecto, la única razón que necesita para poseer algún capital, si es que la tiene, es convencer a los homólogos de sus activos cortos de que realmente podrá cumplir sus promesas. Los *hedge funds* con buena reputación han podido tomar posiciones cien veces superiores al capital de sus propietarios; esto significa que un aumento del 1 por 100 en el precio de sus activos, o una disminución en el precio de sus obligaciones, dobla aquel capital.

El aspecto negativo, por supuesto, está en que un *hedge fund* puede también perder dinero muy eficientemente. Los movimientos del mercado que podrían no parecer tan grandes a los inversionistas corrientes pueden destruir rápidamente el capital de un *hedge fund,* o por lo menos provocar la pérdida de sus cortos, esto es, inducir a los que le han prestado valores u otros activos a exigirle que se los devuelvan.

¿Qué dimensiones tienen los *hedge funds*? Nadie lo sabe en realidad, porque hasta hace muy poco nadie pensaba que fuera necesario averiguarlo. Efectivamente, hasta el otoño pasado los *hedge funds* —a diferencia de casi cualquier otra institución financiera— apenas eran controlados por los reguladores. Una razón estribaba en que los propios inversionistas no parecían requerir protección: muchos *hedge funds* tenían una inversión mínima que era muy grande (alguno tan elevada como 10 millones), de manera que sus inversionistas eran normalmente individuos adinerados, que los gobiernos suponían podían cuidarse de sí mismos. Y los

---

versionistas que se comprometen en muchas ventas al descubierto padecen fuertes pérdidas, es típico que se encuentren con que ya no pueden tomar en préstamo tanto como antes. Cuando tales inversionistas tienen un papel importante en el mercado, esto puede tener consecuencias interesantes, como veremos dentro de poco.

hedge funds, a diferencia de los bancos, no parecían ser eslabones clave en el sistema financiero, cuya solidez tenían que controlar en interés público. Por último, aunque no es lo menos importante, los *hedge funds* —requiriendo sólo una limitada cantidad de capital, de un reducido número de personas— podían operar y operaban «a cierta distancia», estableciendo su residencia legal en jurisdicciones complacientes para librarse de molestas interferencias. Vigilar sus operaciones no habría sido imposible, pero habría sido difícil; y hasta el año pasado el consenso general, por lo menos en Estados Unidos, era que no había ninguna necesidad.

Pero hasta cierto punto era una extraña actitud, porque incluso antes de la reciente serie de crisis un famoso *hedge fund* ha ofrecido una impresionante demostración de la influencia que puede tener un inversionista excesivamente apalancado.

La leyenda de George Soros

George Soros, un refugiado húngaro convertido en empresario norteamericano, fundó su Quantum Fund en 1969. En 1992 era multimillonario, famoso ya como el «mayor inversionista del mundo», y ya era célebre por la generosidad y la creatividad de sus actividades filantrópicas. Pero Soros —que es un hombre con ambiciones tanto intelectuales como financieras, a quien le gustaría que el mundo tomara sus pronunciamientos tan seriamente como toma su perspicacia para los negocios— quería más. Como él mismo dice, iba en busca de un golpe económico que no sólo le permitiera ganar dinero, sino darle publicidad, la cual podía utilizar para promover sus aventuras no relacionadas con los negocios.

Encontró su oportunidad en la situación en la que se encontraba Gran Bretaña aquel verano. En 1990, Gran Bretaña se había adherido al mecanismo del tipo de cambio (Exchange Rate Mechanism, ERM) del Sistema Monetario Europeo, un sistema de tipos de cambio fijos que estaba pensado como un apeadero en el camino hacia una moneda europea unificada. Sin embargo, como los desdichados continentes de nuestra parábola del globo, Gran Bretaña se encontró con que no le gustaba la política monetaria que estaba obligada a seguir. En aquel momento, Europa no tenía un Banco Central Europeo; aunque existía una ficción legal de simetría entre los países, en la práctica todos se ajustaban a la política monetaria del Bundesbank alemán. Y Alemania estaba, literalmente, en una situación diferente del resto de Europa: habiéndose acabado de reunificar, se veía obligada a gastar grandes sumas en la tentativa de reconstrucción de Alemania del Este. Temiendo que este gasto fuera inflacionista, el Bundesbank mantenía altos los tipos de interés para evitar que su propia economía se recalentase. Entretanto, Gran Bretaña, que probablemente entró en el ERM a un tipo en cualquier caso demasiado alto, atravesaba una profunda recesión, y su gobierno se enfrentaba a una creciente insatisfacción popular. Los funcionarios negaban enérgicamente que estuvieran considerando retirarse del ERM, pero existía una continua duda sobre si realmente lo pensaban.

Era una situación hecha a la medida de una crisis monetaria, y Soros no sólo decidió apostar por tal crisis, sino provocarla.

La mecánica de la apuesta era conceptualmente sencilla, aunque sumamente compleja en los detalles. La primera fase tenía que llevarse a cabo de modo inadvertido e incluso sigiloso, a medida que Quantum Fund establecía calladamente líneas de crédito que le permitirían tomar en préstamo unos 15.000 millones de libras esterlinas y convertir esa suma en dólares a voluntad. Después, una vez que el fondo fuera ya sustancialmente largo en dólares y corto en libras, el ataque tenía que volverse ruidoso: Soros sería tan aparatoso como fuera posible en cuanto a vender las libras al descubierto, y concedería entrevistas a los periódicos financieros en las que declarase su creencia de que la libra sería devaluada pronto, y así sucesivamente. Si todo iba bien, esto generaría un pánico en la libra por parte de los demás inversionistas, pánico que obligaría al gobierno británico a ceder y devaluar.

Funcionó. El asalto de Soros contra la libra, tratando de llamar la atención, comenzó en agosto. En unas semanas Gran Bretaña había gastado casi 50.000 millones de dólares en los mercados de divisas para defender la libra, sin ningún resultado. A mediados de septiembre el gobierno elevó los tipos de interés para defender la moneda, pero esto resultó políticamente inaceptable; después de sólo tres días Gran Bretaña abandonó el ERM y dejó flotar la libra (como hasta el día de hoy). Y Soros no sólo obtuvo aproximadamente mil millones de dólares en ganancias rápidas de capital, sino que demostró que era tal vez el especulador más famoso de todos los tiempos.

Pero ¿qué hizo realmente Soros? Aquí se plantean tres preguntas.

En primer lugar, ¿socavó Soros una moneda que de otro modo habría mantenido su valor? Probablemente no. El hecho es que las presiones sobre la libra estaban aumentando regularmente, y muchos economistas (aunque no muchos participantes en el mercado) ya sospechaban que Gran Bretaña no seguiría mucho tiempo en el ERM. Nadie puede demostrar esta afirmación, pero yo creo firmemente que el intento británico de adherirse al club monetario continental estaba condenado, con Soros o sin Soros.

Pero, en ese caso, ¿adelantó por lo menos Soros el calendario y provocó que la libra fuese devaluada más pronto de lo que lo habría sido de otro modo? Es casi seguro que sí, pero la cuestión es en cuánto tiempo. Una vez más, no hay forma de demostrar esto, pero en mi opinión las condiciones económicas estaban moviendo a Gran Bretaña en la dirección de una salida a corto plazo del ERM, en cualquier caso, y Soros adelantó el calendario sólo unas pocas semanas.

Finalmente, ¿hizo algún daño Soros a sus víctimas? El gobierno del primer ministro John Major no se recuperó nunca de la humillación. Pero en realidad es posible argumentar que Soros hizo un favor a la nación británica en su conjunto. La caída de la libra no provocó una crisis económica: la moneda se estabilizó espontáneamente a un 15 por 100 por debajo de su valor anterior. Liberado de la necesidad de sostener la libra, el gobierno británico pudo reducir los tipos de interés. (El ministro de Hacienda, Norman Lamont, declaró que había estado «cantando en el baño» con alivio después de terminar con un vínculo monetario que él había declarado absolutamente inviolable sólo unos pocos días antes. Su alivio era prematuro; muchos británicos salieron ganando con la devaluación, pero pronto él se vio obligado a dimitir.) La combinación de tipos de interés más bajos y un tipo de cambio más competitivo llevó enseguida a una fuerte recuperación de la economía británica, que en pocos años había reducido el desempleo a niveles que sus vecinos consideraban inalcanzables. Para el británico corriente, el ataque de Soros contra la libra trajo principalmente buenas noticias.

Así pues, no era una historia terrible, después de todo. Es cierto, los europeos que se habían comprometido profundamente con la causa de la unión monetaria consideraron los acontecimientos de 1992 como una tragedia; a los franceses, que básicamente rechazaron los ataques especulativos de 1992 y 1993 (ellos dejaron que el franco flotase durante un breve período, pero pronto lo incorporaron de nuevo a la banda del ERM), se les oyó murmurar denuncias pasadas de moda sobre los especuladores monetarios como agentes del mal. Pero en el mundo anglosajón dominante de la discusión política, la historia de Soros y la libra no fue considerada como una especie de presagio inquietante.

Todo eso cambió cuando llegó la crisis asiática, y resultó que los resultados de la especulación podían ser considerablemente menos benignos.

LA LOCURA DEL PRIMER MINISTRO MAHATHIR

Trate de imaginar cómo debe de haberse sentido. Había dirigido la difícil política étnica de su país con una consumada habilidad: pacificó la mayoría malaya del país con el programa *bumiputra* («hijo de la tierra»), ofreciendo a esa mayoría un tratamiento económico preferencial; con todo, lo hizo sin expulsar a la minoría china, comercialmente decisiva. Había hecho del país un lugar favorito para las plantas de producción de las multinacionales, aun persiguiendo una política exterior independiente, algo antioccidental, que funcionaba bien con una población de mayoría islámica. Y bajo su liderazgo el país había participado plenamente en el milagro asiático: a medida que su economía cobraba dinamismo, los hombres de negocios extranjeros, de Bill Gates para abajo, trataban de establecer relaciones con él, y en el verano de 1997 *Time* le declaró uno de los cien «líderes en tecnología» del mundo.

Bueno, había unas pocas críticas. Algunos de sus amigos y miembros de la familia parecían haberse enriquecido más bien fácilmente; algunos extranjeros le acusaban de ostentación, con su insistencia en construir el edificio más alto del mundo, en erigir una nueva capital y un grandioso nuevo «pasillo tecnológico». Pero en conjunto tenía todas las razones para sentirse muy satisfecho con sus logros.

Y entonces, con espantosa brusquedad, las cosas se estropearon. Sus indisciplinados vecinos sufrieron una crisis monetaria: bien, era su problema. Pero después el dinero también empezó a abandonar su país; y él se vio frente a la humillante alternativa de dejar que cayera la moneda o elevar los tipos de interés, lo que cualquiera que fuese el caso llevaría a muchos de aquellos negocios, construidos con tanto esfuerzo, a graves estrecheces financieras. ¿Cómo pudo suceder esto?

Así, en cierto sentido, no debiéramos culpar a Mahathir Mohamad, primer ministro de Malasia, por su sensibilidad ante las teorías de la conspiración. Después de todo, era de general conocimiento que George Soros había tramado el pánico sobre la libra cinco años antes; y Quantum Fund había estado ciertamente especulando con las monedas del sureste de Asia durante los últimos años. ¿Qué más natural que echarle la culpa de sus problemas al famoso especulador? Uno podría incluso considerarlo como un poco de justicia poética: como Soros, por su propia cuenta, había atacado la libra tanto por la notoriedad como por el dinero, ahora le estaba saliendo el tiro por la culata.

No obstante, está claro que Mahathir tenía que haber mantenido cerrada su boca. En un momento en el que la confianza en su economía ya estaba decayendo, la visión del primer ministro desvariando acerca de una conspiración norteamericana contra Asia —e insinuando en términos generales que se trataba, sí, en efecto, de una conspiración *judía*— no era lo que los doctores monetarios habrían prescrito.

Y también resultó que no era cierto. Quantum Fund había especulado contra Tailandia, pero después hicieron lo propio muchísimas personas. Resultó que la huida especulativa de capital de Malasia fue llevada a cabo en gran medida por los propios malayos, en particular, algunos de los mismísimos hombres de negocios que se habían enriquecido gracias al favor de Mahathir.

No obstante, Mahathir siguió insistiendo en sus argumentos, atacando a Soros en conferencias de prensa y declaraciones. Sólo después de transcurridos varios meses y cuando el estado de la economía malaya empezó a tener un aspecto verdaderamente alarmante, llegó a tranquilizarse relativamente, temeroso de molestar a los mercados. Tal vez también llegó a ser consciente de que la mayor parte del mundo pensaba que sus quejas eran absurdas: las conspiraciones como ésa no suceden en el mundo real.

Y entonces se produjo una.

EL ATAQUE CONTRA HONG KONG

Hong Kong ha ocupado durante mucho tiempo un lugar especial en el corazón de los entusiastas del libre mercado. En una época en la que muchos países del Tercer Mundo creían que el proteccionismo y la planificación gubernamental eran el camino para desarrollarse, Hong Kong tenía librecambio y una política de dejar la máxima libertad a los empresarios; y demostró que tal economía ampliamente abierta podía crecer a tasas de desarrollo que los teóricos no habían imaginado nunca que fueran posibles. La ciudad-Estado también lideró la resurrección de las juntas monetarias, que a algunos conservadores les gusta imaginar que constituyen el primer paso en la vía de regreso al patrón oro. Año tras año, la conservadora Heritage Foundation ha otorgado a Hong Kong la categoría superior en su «índice de libertad económica».

Pero Hong Kong ha padecido la crisis asiática. Es difícil encontrar alguna culpa en la propia dirección de la ciudad: más que cualquier otra en la región, su economía funcionaba de acuerdo con el imperio de la ley, con bancos bien regulados y políticas presupuestarias conservadoras. Hubo pocos signos de compadrazgo rampante antes de la crisis, y no se produjo allí, durante el primer año, ninguna huida de capital fruto del pánico. Sin embargo, la ciudad estaba claramente en el sitio equivocado y en el momento equivocado. Como sus vecinos se hundieron, los negocios se resintieron: los japoneses dejaron de hacer viajes de compras y las empresas del Sureste asiático dejaron de utilizar los servicios de los bancos de Hong Kong. Todavía peor, el riguroso sistema de junta monetaria de Hong Kong significaba que el tipo de cambio estaba fijado sólidamente a 7,8 por dólar estadounidense, incluso habiendo devaluado gran parte del resto de Asia; de repente, Hong Kong era mucho más caro que Bangkok o incluso que Tokio. El resultado fue una profunda recesión, la peor que se recordaba.

Inevitablemente comenzaron a surgir dudas persistentes. ¿Defendería realmente Hong Kong su tipo de cambio a toda costa? Algunos hombres de negocios de Hong Kong instaron abiertamente a la autoridad monetaria a devaluar la moneda, para que sus costes volvieran a ser competitivos. Tales demandas fueron rechazadas y el gobierno declaró que no modificaba el tipo; pero después hizo lo que el gobierno de Gran Bretaña en 1992. Además, ¿qué hay de China? El gigante de Asia escapó en gran medida de la primera oleada de la crisis, gracias principalmente a sus controles monetarios, pero en el verano de 1998 estaban apareciendo signos de una recesión económica y con ellos rumores de que también la moneda china podría ser devaluada; lo que sometió a Hong Kong a una tensión mucho mayor.

Algunos podrían considerar que todo esto eran malas noticias; pero algunos *hedge funds* lo vieron como una oportunidad.

No hay, por razones evidentes, cifras claras sobre lo que sucedió exactamente en agosto y septiembre de 1998, pero he aquí cómo se cuenta la historia, tanto por parte de los funcionarios de Hong Kong como por parte de los que juegan en los mercados. Un pequeño grupo de *hedge funds* —se rumoreó que incluía el Quantum Fund de Soros y el menos famoso, pero igualmente influyente, Tiger Fund de Julian Robertson, aunque los funcionarios no citaban nombres— comenzaron un «doble juego» contra Hong Kong. Vendieron al descubierto valores de Hong Kong —es decir, tomaron de sus propietarios valores en préstamo, después los vendieron por dólares de Hong Kong, con una promesa a aquellos propietarios de recomprar los valores y devolvérselos, por supuesto—, así como unos «derechos de alquiler» por la utilización de los valores en el ínterin. Después cambiaron aquellos dólares de Hong Kong por dólares de Estados Unidos. En efecto, estaban apostando por que sucediera una de estas dos cosas: o el dólar de Hong Kong sería devaluado, de manera que ganarían dinero en su especulación monetaria; o la autoridad monetaria de Hong Kong defendería su moneda elevando los tipos de interés, lo que haría bajar la bolsa local, y sacarían dinero de su posición corta en la bolsa.

Pero en opinión de los funcionarios de Hong Kong, los *hedge funds* no estaban apostando precisamente sobre estos acontecimientos: como Soros en 1992, estaban haciendo todo lo que podían para que sucediera. Las ventas de dólares de Hong Kong eran aparatosas, realizadas en grandes bloques, distribuidas regularmente en el tiempo, de manera que quedase asegurado que todo el mercado se diera cuenta. Una vez más sin dar nombres, los funcionarios de Hong Kong también sostienen que los *hedge funds* pagaron a reporteros y editores para que hicieran circular historias que sugirieran que el dólar de Hong Kong o el renminbi chino, o ambos, estaban al borde de la devaluación. En otras palabras, estaban tratando deliberadamente de iniciar un pánico en la moneda.

¿Conspiraron realmente juntos los *hedge funds*? Es posible: aunque un acuerdo explícito para manipular el precio de, digamos, las acciones de Microsoft le llevaría a usted a la cárcel, una conspiración comparable contra la Bolsa de Hong Kong (que tiene aproximadamente la misma capitalización) al parecer aborta los *cracks* legales. También es posible que no hubiera ningún contacto en absoluto. Pero es más probable que existieran insinuaciones y guiños, unas pocas generalidades sobre un partido de golf o una botella de vino de precio. Después de todo, no había tantos jugadores, y todos ellos sabían cómo funcionaba el juego.

En efecto, algunos observadores ven la sombra de un complot todavía más amplio. Los cuatro de Hong Kong (o cinco, o los que sean) tenían otros juegos que se estaban desarrollando al mismo tiempo. Estaban posicionados en yenes cortos —porque los tipos de interés en Japón eran bajos, y pensaban que el yen podría fácilmente caer junto con el dólar de Hong Kong—, así como en dólares australianos, dólares canadienses y así sucesivamente. Y se convirtieron en grandes y ostentosos compradores de algunas de esas otras monedas también. Se podría pensar en Hong Kong sólo como la pieza central de un juego contra buena parte de la región asiática del Pacífico, ciertamente la que sería con toda probabilidad la mayor conspiración en el mercado de todos los tiempos.

Y todo ello parecía enteramente probable que sucediera. Después de todo, ¿qué podía hacer Hong Kong? Su bolsa de valores era grande comparada con la de la mayoría de los países en vías de desarrollo, pero no comparada con los recursos de los *hedge funds;* los informes dicen que la posición corta combinada de los supuestos conspiradores ascendía a cerca de 30.000 millones de dólares, que equivaldrían aproximadamente a 1,5 *billones* de dólares de ventas al descubierto en la Bolsa estadounidense. Además, el mercado de Hong Kong era muy abierto y probablemente seguiría siéndolo: una ciudad cuyo sustento dependía precisamente de su reputación como lugar donde las personas podían hacer lo que gustasen con su dinero, libre de la interferencia arbitraria del gobierno, ni siquiera se arriesgaría a jugar con controles sobre la huida de capitales. En resumen, parecía un plan brillante, con unas probabilidades de éxito muy altas.

Inesperadamente, Hong Kong contraatacó.

La principal arma en esta lucha fue una nueva y original utilización de los fondos de la autoridad monetaria de Hong Kong (Hong Kong Monetary Authority, HKMA). Dio la casualidad de que la HKMA poseía enormes recursos. Recuérdese que Hong Kong tiene una junta monetaria, de modo que cada 7,8 dólares de Hong Kong en circulación están respaldados por un dólar estadounidense de reserva; pero resulta que la HKMA tiene de hecho depositados muchos más dólares de los necesarios a este fin. ¿Cómo podía desplegarse esta riqueza contra los *hedge funds*? Utilizándola para comprar valores locales; de ese modo, se elevaban sus precios y se provocaba que los *hedge funds,* que habían vendido aquellos valores al descubierto, perdieran dinero. Por supuesto, para ser efectivas, estas compras tenían que realizarse a gran escala, comparable o mayor que las ventas al descubierto de los *hedge funds.* Pero las autoridades ciertamente tenían los recursos para efectuar tales compras.

¿Por qué, entonces, no habían esperado esta respuesta los *hedge funds*? Porque no pensaron que el gobierno de Hong Kong estuviera dispuesto a arriesgar la inevitable reacción de los conservadores, horrorizados de que un tal dechado del mercado libre intentara manipular los precios del mismo. Y la reacción fue ciertamente feroz. Las acciones del gobierno fueron «insensatas», tronó Milton Friedman; la Heritage Foundation suprimió formalmente la designación de la ciudad-Estado como baluarte de la libertad económica; los artículos de los periódicos vincularon a Hong Kong con Malasia, que acababa de imponer unos controles draconianos de capital. El secretario de Hacienda, Donald Tsang, comenzó una gira alrededor del mundo, en un intento de explicar las medidas adoptadas a los inversionistas y volviendo a asegurarles que su gobierno era tan pro capitalista como siempre; pero fue una lucha ímproba.

Durante un tiempo los *hedge funds* creyeron que la reacción obligaría a las autoridades de Hong Kong a volverse atrás. Aquéllos ampliaron el plazo de sus posiciones cortas (esto es, pagaron a los propietarios originales de los valores unos derechos adicionales para poder aplazar su devolución) y se dispusieron a esperar lo que hiciera el gobierno. Éste entonces aumentó la apuesta, y estableció nuevas reglas que restringían la venta al descubierto y para de ese modo obligar a los inversionistas de Hong Kong que habían alquilado sus valores a reclamarlos; esto hizo que los *hedge funds* relajaran sus posiciones, pero provocó nuevos alaridos ante el atropello.

Y entonces todo el tema de Hong Kong se desvaneció, porque una extraña serie de acontecimientos en el mundo obligó a los propios *hedge funds* a restringir sus actividades.

La economía Potemkin

En 1787, la emperatriz Catalina de Rusia recorría las provincias meridionales de su imperio. Según la leyenda, su primer ministro Grigori Aleksandrovich Potemkin se le iba adelantando en un día y disponía la preparación de falsas fachadas que hacían parecer prósperas las miserables aldeas, y después desmontaban los puntales y los trasladaban hasta el siguiente destino. Desde entonces, la expresión «aldea Potemkin» ha sido utilizada para referirse a escenas aparentemente felices que, en realidad, no son más que una fachada, sin tener nada que ver con lo que realmente está detrás.

Es enteramente adecuado, pues, que en la segunda mitad de los años noventa la propia Rusia se convirtiera en una especie de economía Potemkin.

Nadie ha considerado fácil la transición del socialismo al capitalismo, pero Rusia la ha encontrado más difícil que la mayoría. En su mayor parte, su economía parece atrapada en una especie de limbo; ha perdido cualquier dirección que la planificación central solía proporcionar, sin haber logrado conseguir un sistema de mercado que funcione. Incluso las cosas que solían funcionar en alguna medida ya no funcionan: fábricas que solían producir bienes de baja calidad no producen ahora nada en absoluto, granjas colectivas se han convertido incluso en menos productivas de lo que eran antes, y los tristes años de la época de Breznev ahora parecen una edad de oro. Hay cientos de miles de programadores, ingenieros, científicos, matemáticos, altamente cualificados, pero no pueden encontrar un trabajo. Sin embargo, el país no carece de recursos: gas natural, petróleo y oro, todo proporciona una corriente continua de entrada de monedas fuertes, y los inversionistas extranjeros sueñan todavía con las fortunas que podrían conseguir allí si el potencial del país se pusiera en movimiento.

Aquellos sueños, sin embargo, se están disipando. Boris Eltsin convirtió a Rusia en una democracia, al menos por ahora; pero también la convirtió en una cleptocracia, en un gobierno de ladrones. Un pequeño grupo de «oligarcas», que utiliza la influencia política para conseguir privilegios económicos y la riqueza para comprar a los políticos, ha terminado por dominar los sectores de la economía que proporcionan dinero, y han secuestrado en gran medida el programa de «privatización» del país, para su propio enriquecimiento. Uno podría esperar, por lo menos, que después de robar al país, los oligarcas trataran de dirigirlo como un negocio provechoso; pero en lugar de ello han actuado como saqueadores a corto plazo, extrayendo todo lo que podían y sacando el dinero fuera del país. (¿Recuerdan las entradas de capital que implica necesariamente un déficit comercial? En los últimos años Rusia ha tenido siempre grandes *superávits* comerciales, al tiempo que los ingresos por exportación se utilizaban, no para pagar las importaciones, sino para engordar cuentas bancarias en el exterior.) En particular, los oligarcas —los únicos rusos que realmente podrían pagar considerablemente más impuestos— han escogido no hacerlo (recuerden, muchos de ellos son los propios políticos), que dejan al gobierno en una permanente crisis fiscal, obligado a pedir dinero prestado a unos tipos cada vez más usureros.

Es un estado de los negocios bien triste, pero Rusia posee un último activo: como heredera de la Unión Soviética, tiene todavía un enorme arsenal de armas nucleares. No ha amenazado explícitamente con vender bombas atómicas al mejor postor, pero el riesgo que ello comportaría ha condicionado la política occidental y ha hecho que el gobierno estadounidense, inquieto, ponga la mejor cara en todo. Mucho después de que las personas mejor informadas se hubieran vuelto completamente cínicas, Estados Unidos seguía esperando que los reformadores rusos hicieran algo para completar la transición atascada y que los oligarcas dejaran de ser tan egoístas o al menos tan cortos de vista; y el gobierno de Estados Unidos ha forzado al FMI a prestar dinero a Rusia para ganar tiempo para los planes de estabilización que por alguna razón nunca se materializan. (*The Medley Report*, una hoja informativa económica internacional, comentaba que Estados Unidos no estaba, como se decía, metiendo el dinero en un pozo sin fondo: lo estaban metiendo en un silo de misiles.)

La aparente capacidad de Rusia para utilizar sus armas nucleares como garantía subsidiaria, a su vez, animó a los adinerados inversionistas extranjeros a asumir un riesgo y colocar dinero en Rusia. Todos sabían que el rublo podría ser devaluado, tal vez en una alta proporción, o que el gobierno ruso podría simplemente no pagar sus deudas. Pero parecía una buena apuesta esperar que, antes de que sucediera, Occidente intervendría de nuevo con otra inyección de liquidez de emergencia. Como la deuda gubernamental rusa ofrecía tipos de interés muy altos, que con el tiempo alcanzaron el 150 por 100, la apuesta era atractiva para los inversionistas con elevada tolerancia ante el riesgo: en particular, los *hedge funds*.

Sin embargo, resultó que la apuesta no era tan buena, después de todo. En el verano de 1998, la situación financiera de Rusia se desembrolló más deprisa de lo que se esperaba. En agosto, George Soros (!) sugería públicamente que Rusia devaluara el rublo y después estableciera una junta monetaria; sus observaciones provocaron una presión sobre la moneda, una inadecuada devaluación al estilo mexicano y después una combinación de colapso monetario y moratoria de la deuda. Y Occidente, aparentemente, había tenido bastante: no hubo rescate esta vez. De repente, los créditos sobre Rusia sólo pudieron venderse, si es que se pudo, por una fracción de su valor facial, y se perdieron miles de millones de dólares. (¿Qué pasó con aquella garantía subsidiaria nuclear? Buena pregunta: no pensemos en ello.)

En puros términos de dólar, el dinero perdido en Rusia fue completamente insignificante: no más de lo que se pierde cuando, por ejemplo, la Bolsa estadounidense cae en un pequeño porcentaje, lo que sucede casi todos los días. Pero estas pérdidas cayeron pesadamente sobre un pequeño grupo de operadores financieros muy apalancados, lo que significa que tenían efectos casi ridículamente grandes sobre el resto del mundo. En efecto, durante unas pocas semanas pareció como si el colapso financiero de Rusia arrastrara hacia abajo a todo el mundo.

EL PÁNICO DE 1998

En el verano de 1998 los balances de los *hedge funds* del mundo no eran sólo enormes, sino inmensamente complejos. Sin embargo, había un modelo. La característica común de estos fondos es que eran cortos en activos que eran sanos —no era probable que cayera su valor— y líquidos, es decir, fáciles de vender si se necesitaba liquidez. Al mismo tiempo, eran largos en activos que tenían alto riesgo y poca liquidez. Así, un *hedge fund* podía ser corto en deuda del gobierno alemán, que era sólida y fácil de vender, y largo en valores daneses respaldados por hipotecas (créditos indirectos sobre casas), que tenían un poco más de riesgo y eran mucho más difíciles de vender a corto plazo. O podían ser cortos en bonos japoneses y largos en deuda rusa.

El principio general era que históricamente los mercados han tendido a asignar una prima más bien alta por la seguridad y la liquidez, porque los pequeños inversionistas tenían aversión al riesgo y nunca sabían cuándo podrían tener necesidad de conseguir liquidez. Esto ofrecía una oportunidad a los grandes operadores, que podían minimizar el riesgo mediante una cuidadosa diversificación (comprando una combinación de activos, de manera que las ganancias en uno se compensaran normalmente con las pérdidas en otro) y que normalmente no se verían repentinamente en la necesidad de disponer de liquidez. Fue en gran medida explotando estos márgenes como los *hedge funds* hicieron tanto dinero, año tras año.

Sin embargo, en 1998 muchas personas comprendieron esta idea básica, y la competencia entre los propios *hedge funds* hizo que fuera cada vez más difícil ganar dinero. Alguno de ellos, de hecho, empezaron a devolver el dinero de los inversionistas, y declararon que ellos no podían encontrar un número suficiente de oportunidades rentables para utilizarlos. Pero también intentaron encontrar nuevas oportunidades extendiéndose aún más, tomando posiciones complejas que en la superficie parecían ser muy arriesgadas, pero que según cabe suponer estaban ingeniosamente construidas para minimizar la posibilidad de pérdidas.

De lo que nadie se percató hasta que sucedió fue de que la competencia entre los *hedge funds* para explotar las cada vez más estrechas oportunidades de beneficio había creado una especie de catastrófica máquina financiera.

He aquí cómo funcionó. Supongamos que algún *hedge fund* —llamémosle Relativity Fund— ha apostado fuertemente por la deuda gubernamental rusa. Entonces Rusia no paga y el fondo pierde mil millones de dólares, o algo así. Esto pone nerviosos a los inversionistas que son los homólogos de sus posiciones cortas —las personas que han prestado sus acciones y bonos, para que se los devuelvan en el futuro—, de manera que exigen que les reintegren sus activos. Sin embargo, Relativity no tiene realmente aquellos activos: debe recomprarlos, lo que significa que tiene que vender otros activos para reunir el efectivo necesario. Y como es un jugador de dimensiones tan grandes en los mercados, cuando empieza a vender bajan los precios de las cosas en las que ha invertido.

Entretanto, el rival de Relativity, el Pussycat Fund, también ha invertido en muchas de las mismas cosas. Así que cuando Relativity se ve repentinamente obligado a efectuar grandes ventas, esto significa grandes pérdidas también para Pussycat; éste se ve igualmente forzado a «cubrir sus cortos» vendiendo, haciendo que disminuya el precio de otros activos. Al hacerlo, crea un problema para el Elizabethan Fund..., y así sucesivamente todo va bajando.

Si todo esto le recuerda la historia del desastre financiero asiático, como he dicho en el capítulo 4, está bien: a un nivel fundamental era el mismo tipo de proceso, que implicaba un círculo vicioso de precios decrecientes y balances que implosionan. Nadie pensaba que una cosa tal pudiera suceder en el mundo moderno, pero sucedió, y las consecuencias fueron alarmantes.

Ya ve, resultó que los *hedge funds* habían sido tan diligentes en la práctica del arbitraje para obtener liquidez y primas al riesgo, que para muchos activos no líquidos ellos *eran* el mercado; cuando todos intentaban vender a la vez, no había compradores alternativos. Y así, después de años de estrechamiento continuo, la liquidez y las primas al riesgo repentinamente se dispararon hasta niveles inauditos. En septiembre último, los bonos gubernamentales estadounidenses a veintinueve años —un activo perfectamente seguro, en el sentido de que si el gobierno de Estados Unidos vende, lo hacen todos los demás— estaban ofreciendo tipos de interés significativamente más altos que los bonos a treinta años, que se negociaban en un mercado más grande y eran por lo tanto un poco más fáciles de vender. Los bonos de sociedades deben ofrecer normalmente mayores rendimientos que la deuda gubernamental de Estados Unidos, pero el margen se había ampliado de repente en varios puntos porcentuales. Y los valores comerciales respaldados por hipotecas —los instrumentos financieros que financian indirectamente gran parte de la construcción inmobiliaria no residencial— no podían venderse en absoluto. En una reunión a la que asistí, los participantes preguntaron a un funcionario de la Reserva Federal que describía la situación qué podría hacerse para resolverla. «Rezar», replicó.

De hecho, afortunadamente, el FED hizo algo más. Ante todo, logró el rescate de la víctima más famosa entre los *hedge funds*: Connecticutbased Long Term Capital Management.

La saga de LTCM (Long Term Capital Management) es aún más notable que la leyenda de George Soros. Soros es una figura de una larga tradición, la de un delincuente de aventuras financieras; no es distinto, cuando se atiende a lo fundamental, de Jim Fisk o Jay Gould. Los gestores de Long Term Capital, sin embargo, eran tipos que representaban la quintaesencia de la modernidad: sabios ridículos que utilizan fórmulas y ordenadores para engañar al mercado. La empresa se jactaba de tener a dos premios Nobel en su nómina, y a muchos de sus mejores estudiantes. Ellos creían que estudiando cuidadosamente las correlaciones históricas entre activos, podrían construir carteras inteligentes —algunos activos largos, otros cortos— que proporcionarían elevados rendimientos con mucho menos riesgo del que la gente se imaginaba. Y año tras año distribuían con tal regularidad que resultó que las personas que les prestaban dinero dejaron incluso de preguntar si la empresa realmente tenía suficiente capital para ser un socio seguro.

Entonces los mercados se volvieron locos.

Aún no está claro si las pérdidas que sufrió LTCM fueron el resultado de sacudidas que se producen una vez en la vida y que no podían preverse, o si los modelos informáticos que utilizaron fueron ingenuos al no poder prever perturbaciones del mercado ocasionales y grandes. (Y también si esta ingenuidad, si es que la hubo, fue deliberada: de nuevo el riesgo moral.) Sea cual sea la causa, en septiembre la sociedad se enfrentaba a reclamaciones para aumentar la liquidez en depósito a los prestamistas o pagar la totalidad de lo que debía, demandas que no podía satisfacer. Y de repente se vio con claridad que los LTCM se habían convertido en un jugador de tamaño tan grande en los mercados que si fallaba y sus posiciones eran liquidadas, podría precipitarse un pánico a gran escala.

Había que hacer algo. Al final, no se necesitó dinero público: el FED de Nueva York pudo convencer a un grupo de inversionistas para que tomara el control de la propiedad mayoritaria de LTCM a cambio de una inyección de liquidez que se necesitaba desesperadamente; y resultó que una vez que los mercados se calmaron de nuevo, en realidad los bancos terminaron haciendo completamente bien el trabajo.

Incluso con el rescate, sin embargo, no era de ningún modo inevitable que la crisis fuera superada. Cuando el FED redujo los tipos de interés sólo un 0,25 por 100 en su reunión ordinaria de septiembre, la magnitud de la reducción decepcionó a los mercados, y la ya problemática situación financiera comenzó a parecerse a un pánico desenfrenado. De pronto, la gente comenzaba a establecer analogías entre la crisis financiera y los pánicos bancarios que hundieron a Estados Unidos en la Gran Depresión; J. P. Morgan llegó incluso a predecir terminantemente una grave recesión en 1999.

Pero el FED tenía una carta en su manga. Normalmente, las variaciones del tipo de interés sólo tienen lugar cuando se reúne el Comité Federal de Mercado Abierto, aproximadamente cada seis semanas. En aquella reunión de septiembre, sin embargo, el comité había garantizado a Alan Greenspan el poder discrecional para reducir los tipos de interés un cuarto de punto adicional siempre que fuera necesario. El 15 de octubre sorprendió a los mercados anunciando esa reducción; y, milagrosamente, los mercados se reanimaron. Cuando el FED redujo los tipos de nuevo en su reunión siguiente, el pánico se convirtió en euforia. Pero a finales de 1998 todas las primas de liquidez poco comunes se habían desvanecido, y la bolsa estaba una vez más estableciendo nuevas marcas.

Es importante darse cuenta de que incluso ahora los funcionarios del FED no están completamente seguros de cómo lograr este rescate. En la cumbre de la crisis parecía completamente posible que la reducción de los tipos de interés fuera enteramente inútil; después de todo, si nadie puede tomar en préstamo, ¿qué importa el precio si pudieran? Y si todos habían creído que el mundo estaba yendo a su fin, su pánico podría —como en tantos otros países— haber terminado siendo una profecía que por su propia naturaleza tiende a cumplirse. Retrospectivamente Greenspan parecía haber estado como un general que aguanta al frente de su desmoralizado ejército, blande su espada y anima a gritos, y algo cambia en la marcha de la batalla: estuvo bien hecho, pero no es algo con cuyo éxito usted quisiera contar la próxima vez.

En efecto, algunos funcionarios del FED se inquietan por si el público puede estar sobreestimando su capacidad; una nueva forma de riesgo moral, dice un asesor de Greenspan, basada en la creencia de que el presidente del FED puede sacar a la economía y a los mercados de cualquier crisis.

Tal vez esa sobreestimación del FED desempeñó un papel en la recuperación global de la confianza que tuvo lugar a finales de otoño del año pasado. Pero también llega, finalmente, alguna buena noticia desde Asia.

7

Las burbujas de Greenspan

DURANTE MÁS DE DIECIOCHO AÑOS, desde mayo de 1987 hasta enero de 2006, Alan Greenspan fue el presidente de la junta de gobierno de la Reserva Federal. Aquel cargo lo convirtió en uno de los responsables financieros más importantes del planeta, pero la influencia de Greenspan iba más allá de sus atribuciones formales: era el maestro, el oráculo, el miembro de más edad del comité para salvar el mundo, tal y como rezaba el artículo de portada de un número de la revista *Time* de 1999.

Cuando Greenspan abandonó su cargo, lo hizo entre elogios. Alan Blinder, de la Universidad de Princeton, dijo de él que había sido posiblemente el gobernador de un banco central más importante de la historia. Cuando Greenspan hizo una de sus últimas apariciones ante la Cámara de Representantes, fue prácticamente agasajado como un mesías económico: «Usted ha guiado la política monetaria en tiempos de hundimientos de los mercados, guerras, ataques terroristas y desastres naturales —declaró un congresista—. Su contribución a la prosperidad de Estados Unidos ha sido extraordinaria y la nación está en deuda con usted».

Casi tres años más tarde, el nombre de Greenspan era maldito.

La historia del ascenso y la caída de la reputación de Alan Greenspan es algo más que la historia de una persona con moraleja incluida. Es también la historia de cómo los responsables de la política económica se convencieron de que lo tenían todo bajo control para descubrir, horrorizados —y mientras el mundo sufría las nefastas consecuencias de sus decisiones—, que no era así.

LA ERA GREENSPAN

¿Cómo alcanzó Greenspan aquel estatus legendario? En gran medida, porque presidió la Reserva Federal durante una etapa en la que las noticias económicas fueron, en general, buenas. Los años setenta y principios de los ochenta fueron años convulsos: la inflación y la tasa de desempleo superaron el 10 por 100 y se vivieron las peores crisis económicas desde la Gran Depresión. Por su parte, la era Greenspan fue relativamente serena. La inflación se mantuvo en unos niveles bajos durante todo ese tiempo y las dos recesiones que estallaron durante su mandato fueron breves, dos episodios de ocho meses de duración cada uno, al menos según la cronología oficial (más tarde volveremos a este asunto). El trabajo abundaba: a finales de los años noventa, y de nuevo en el ecuador de la década siguiente, la tasa de desempleo cayó hasta alcanzar unos niveles que no se veían desde los años sesenta. También, para los asesores financieros, la era Greenspan fue un regalo del cielo: el Dow Jones superó con creces los 10.000 puntos y la cotización de las acciones subió de media más de un 10 por 100 cada año.

¿Hasta qué punto podemos considerar a Greenspan como el responsable de este buen rendimiento? Seguramente, su importancia fue menor de la que se le atribuyó. Paul Volcker, el antecesor de Greenspan, fue la persona que controló la inflación, y alcanzó ese objetivo con la ayuda de unas políticas de restricción monetaria que, antes de vencer la lógica inflacionista, provocaron una grave depresión económica. Greenspan disfrutó de las rentas del trabajo duro y sucio de Volcker.

Asimismo, muchas de las buenas noticias en el plano económico apenas tuvieron que ver con la política monetaria. Durante la era Greenspan, los negocios estadounidenses aprendieron por fin a utilizar de un modo eficaz las tecnologías de la información. Cuando desembarca una nueva tecnología, suele pasar un tiempo antes de que sus beneficios económicos se hagan visibles, porque los negocios tienen que reorganizarse para sacar el mejor partido de esa innovación. El ejemplo clásico lo encontramos en la electricidad. Aunque los generadores eléctricos ya estaban al alcance de casi toda la población en los años ochenta del siglo XIX, en un primer momento, la fábricas siguieron construyéndose a la antigua usanza: eran edificios de varias plantas en los que la maquinaria se amontonaba en espacios estrechos, según un diseño dictado por la necesidad de tener un motor de vapor en el sótano que pusiera en marcha los ejes y las poleas. Habría que esperar hasta la primera guerra mundial para que la industria comenzara a aprovechar que ya no era precisa una fuente de energía central para construir fábricas de una sola planta y diáfanas, con mucho más espacio para mover los materiales de un lado para otro.

Otro tanto sucedió con las tecnologías de la información. El microprocesador se inventó en 1971 y, a principios de los años ochenta, los ordenadores personales estaban muy extendidos pero, durante mucho tiempo, los despachos continuaron trabajando como lo habían hecho en los tiempos del papel carbón. No sería hasta mediados de los años noventa cuando los negocios empezarían a sacar partido de la nueva tecnología para, por ejemplo, conectar las oficinas en red o actualizar constantemente su inventario. Cuando lo hicieron, el índice de productividad estadounidense —cuánto produce cada trabajador de media en una hora— experimentó un claro aumento, lo que redundó en los beneficios y permitió controlar la inflación, factores que se sumaron a las buenas noticias en el terreno económico de la era Greenspan. Sin embargo, el presidente de la Reserva Federal no tuvo nada que ver en todo eso.

Aunque Greenspan no acabó con la inflación ni propició una revolución en términos de productividad, su peculiar enfoque de la gestión monetaria sí pareció funcionar durante todo ese período. Aquí, la palabra clave es «pareció». Sin embargo, antes de llegar a ese punto, echemos un vistazo a los rasgos distintivos de la presidencia de Greenspan.

EL CONDUCTOR ESCOGIDO POR ESTADOS UNIDOS

Alan Greenspan no ha sido el presidente de la Reserva Federal que más tiempo ha ocupado el cargo. Ese honor recae en William McChesney Martin Jr., que estuvo al frente de la Reserva Federal desde 1951 hasta 1970. La filosofía monetaria de ambos era radicalmente distinta.

Es famosa la declaración de Martin de que la tarea de la Reserva Federal era «llevarse el ponche aunque la fiesta no haya acabado». Con esas palabras daba a entender básicamente que la Reserva Federal debía subir los tipos de interés para evitar que una economía en auge se sobrecalentara, lo que podía provocar inflación. Sin embargo, también hubo quien interpretó su comentario en el sentido de que la Reserva Federal tenía que trabajar para evitar que los mercados financieros se comportaran con una «exuberancia irracional», en palabras del propio Greenspan.

Sin embargo, y a pesar de que Greenspan advirtió de esa excesiva exuberancia, jamás hizo mucho para evitar ese tipo de conductas. Pronunció la expresión «exuberancia irracional» en un discurso de 1996 en el que insinuaba muy vagamente la existencia de una burbuja bursátil. No obstante, no subió los tipos de interés para frenar el entusiasmo del mercado; ni siquiera intentó imponer límites legales de las compras en descubierto a los inversores bursátiles. En su lugar, esperó a que la burbuja estallara, lo que sucedió en el año 2000, para intentar reconducir la situación.

Un artículo mordaz pero atinado de Reuters decía que Greenspan actuaba como un padre que repite a los adolescentes que no deben pasarse pero que no hace nada para detener la fiesta, y que está preparado para llevarlos a casa en coche cuando la juerga haya terminado.

Para ser justos con Greenspan, muchos economistas, de todo el espectro político, comulgaban con su doctrina política. Y lo cierto

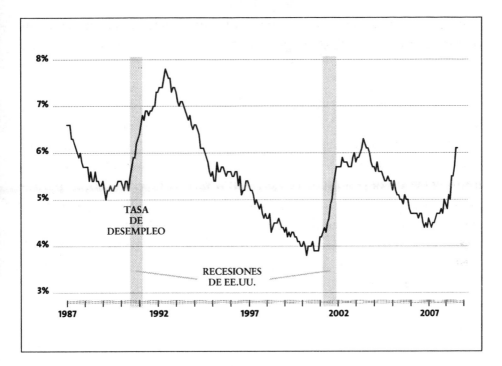

es que la predisposición de Greenspan a no entrometerse benefició a la economía estadounidense al menos en un sentido: el espectacular índice de creación de empleo durante la Administración Clinton probablemente no lo habría sido tanto si otra persona hubiera estado al frente de la Reserva Federal.

El gráfico que se reproduce más arriba muestra la tasa de desempleo de Estados Unidos desde principios de 1987.* Las barras sombreadas indican las fechas de las recesiones oficiales. El rasgo dominante de este gráfico es el fabuloso descenso de la tasa de desempleo entre 1993 y el año 2000, un descenso que la situó por debajo del 4 por 100 por vez primera desde 1970. Greenspan no fue el artífice de esa bajada, sino que dejó que sucediera. Y su

* Fuente: Banco de St. Louis, Reserva Federal, 2008. Tasa de desempleo entre la población civil según la Oficina de Estadística del Mercado Laboral del Departamento de Trabajo de Estados Unidos. Los datos sobre las recesiones estadounidenses provienen de NBER.

negligencia benigna con la caída del desempleo ni fue una decisión ortodoxa ni, como se demostraría más tarde, acertada.

Entre principios y mediados de los años noventa, la opinión más extendida (y que yo mismo compartía) era que la inflación comenzaría a acelerarse si la tasa de desempleo se situaba aproximadamente por debajo del 5,5 por 100. Esa parecía ser la lección que nos habían enseñado las últimas dos décadas. De hecho, la inflación se había disparado a finales de los años ochenta, momento en el que la tasa de desempleo se acercó al 5 por 100. Cuando, a mediados de los años noventa, bajó hasta unos niveles peligrosos, muchos fueron los economistas que instaron a Greenspan a subir los tipos de interés para evitar el repunte de la inflación.

Pero Greenspan se negó a actuar antes de que la inflación fuera una realidad. Públicamente, aventuró que la aceleración del aumento de la productividad tal vez cambiara la relación histórica entre una tasa baja de desempleo y una inflación que subía rápidamente, y se escudó en ese argumento para desestimar una subida de los tipos de interés hasta que hubiera pruebas irrefutables de un aumento real de la inflación. Y lo cierto es que algo sí había cambiado en la economía. (Los economistas siguen dirimiendo el qué.) La tasa de desempleo bajó hasta unos niveles que hacía décadas que no se veían, pero la inflación parecía no reaccionar. Y una sensación de prosperidad desconocida desde los años sesenta embargó a la nación.

En el terreno de la creación de puestos de trabajo, llevarse el ponche mientras la fiesta todavía no había acabado se reveló como una decisión excelente. Desde el punto de vista de la exuberancia irracional de los mercados bursátiles, sin embargo, la doctrina de Greenspan no tuvo el mismo éxito. Y habría que esperar a que Greenspan abandonara su cargo para comprobar su fracaso.

LAS BURBUJAS DE GREENSPAN

Como ya he mencionado, Greenspan llamó la atención sobre aquella exuberancia irracional, pero no tomó medidas al respecto.

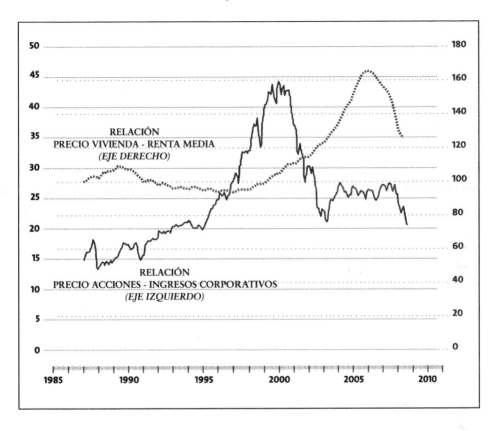

De hecho, el presidente de la Reserva Federal ostenta un récord que me atrevería a tildar de único entre los gobernadores de los bancos centrales: estuvo al frente de la institución durante no una sino dos extraordinarias burbujas de activos, la primera, bursátil; la segunda, inmobiliaria.

El gráfico de esta página muestra la evolución temporal y las dimensiones de ambas burbujas. Una línea describe la relación entre los precios de las acciones y los ingresos corporativos, un indicador habitual a la hora de determinar si el precio de las acciones es o no es razonable. La segunda línea corresponde a un indicador similar, referido en este caso al precio de la vivienda —la relación en Estados Unidos entre el precio medio de la vivienda y la renta media— y expresado en forma de índice, siendo éste de 100 en el año 1987. Como se puede ver claramente, a la burbuja bursátil de los años noventa le sigue, una década más tarde, la burbuja inmobiliaria.* En total, el precio de la vivienda jamás superó los indicadores históricos normales del modo exagerado que sí lo hizo la cotización de las acciones. No obstante, esto podría llevarnos a engaño en varios aspectos. En primer lugar, la vivienda es algo mucho más importante que el mercado bursátil, sobre todo para las familias de clase media, que suelen tener en su casa su activo principal. En segundo lugar, el auge del precio de la vivienda fue desigual: en las regiones centrales de Estados Unidos, donde abunda la tierra, la subida del precio de la vivienda apenas superó la inflación, mientras que en las zonas costeras, y sobre todo en Florida y el sur de California, el aumento fue de más de un 100 por 100 en proporción a los ingresos. Por último, el sistema financiero demostró ser más sensible a los efectos secundarios de la caída del precio de la vivienda que a los efectos secundarios del desplome de la bolsa, por motivos que explicaré en el capítulo 9.

¿Cómo surgieron estas burbujas?

La burbuja bursátil de los años noventa fue probablemente el reflejo de dos cosas. Mucho se ha hablado de una de ellas, el optimismo desmedido ante los beneficios potenciales de las tecnologías de la información. No así de la otra, la sensación cada vez más extendida de una cierta seguridad en la economía, la creencia de que los días de las peores recesiones ya habían pasado. Sin embargo, ambas se aliaron para hacer que el precio de las acciones alcanzara unas cotizaciones asombrosas.

Hoy, todo el mundo está al corriente de la burbuja de las «puntocom», cuyo mejor ejemplo fue, tal vez, el fenómeno de Pets.com, que hizo que un modelo de negocio dudoso, que se acompañó de una inteligente campaña publicitaria, alcanzara una tasación fabu-

---

* La relación entre precio e ingresos del gráfico procede de Robert Shiller, de la Universidad de Yale, que compara los precios de las acciones con los ingresos medios durante la década anterior, con el fin de suavizar las fluctuaciones a corto plazo en los beneficios motivadas por los momentos de euforia y por las depresiones. El índice de precios de la vivienda es el índice nacional Case-Shiller, mientras que la cifra de las rentas procede de la Oficina de Análisis Económico.

losa. Pero la crisis no afectó únicamente a las «puntocom». En muchos sectores industriales se cuentan historias de cómo habían cambiado las cosas gracias a las nuevas tecnologías, de cómo las viejas normas que limitaban sus beneficios y su crecimiento ya no regían. Como supimos más tarde, muchas de estas historias amables se apoyaban en fraudes contables. Sin embargo, lo más importante en este caso es que, a la vista de los pingües beneficios que habían obtenido los primeros compradores de títulos de Microsoft o de otras empresas que desembarcaron en el mundo de las tecnologías de la información, los inversores prefirieron creer que ese milagro era extrapolable a muchas otras compañías. Evidentemente, a todo esto debemos añadir otra falacia: no había lugar en la economía para todas las futuras Microsoft que la gente creía intuir. Aunque lo que realmente cuenta es la capacidad para embaucar, y la gente parecía dispuesta a suspender su capacidad de razonar.

También parecía haber motivos de más enjundia para comprar acciones. Era bien sabido entre economistas y expertos de las finanzas que, históricamente, las acciones habían sido una gran inversión, cuando menos para aquellos con el firme propósito de comprar y no desprenderse de ellas. Existía incluso una extensa bibliografía en el campo de la economía acerca del rompecabezas de la «prima de riesgo»: las acciones ofrecían un rendimiento superior al de otras inversiones, como por ejemplo los bonos, de ahí que costara entender por qué la gente no ponía todo su dinero en acciones. La respuesta cabía buscarla probablemente en el miedo: el recuerdo de las grandes pérdidas que sufrió el mercado bursátil en los años treinta y el desplome más reciente de las acciones durante la estanflación de los años setenta —perdieron, en términos de valor real, un 7 por 100 entre 1968 y 1978— inspiraba a los inversores una cierta cautela. No obstante, dado que la gran moderación se mantenía, que la inflación seguía siendo baja y que la economía no experimentaba recesiones graves, el miedo fue desvaneciéndose progresivamente, y libros como *Dow 36.000*, que versionaba a su manera la literatura sobre las primas de riesgo (todos los cálculos de los autores estaban mal pero, ¿qué más da?), se convirtieron en superventas.

Así, la subida de la cotización de las acciones retroalimentaba todo el sistema. De nada servían los argumentos más o menos razonables a favor de invertir en Bolsa: en 1998, lo que la gente veía era que todo aquel que compraba acciones había ganado grandes sumas de dinero y que quien había optado por mantenerse al margen se estaba quedando rezagado. Y así, cuanto mayor era la cantidad de dinero que se invertía en Bolsa, más subía la cotización de las acciones, y más crecía una burbuja que parecía no tener límites.

Pero, evidentemente, sí tenía límites. Como ha señalado Robert Shiller, autor de *Irrational Exuberance*, una burbuja bursátil es una suerte de esquema de Ponzi en el que la gente seguirá ganando dinero mientras haya tontos que decidan entrar en él. Pero llega un momento en que ya no quedan más tontos y todo el sistema se desmorona. En el caso de la Bolsa, el punto de inflexión se produjo en el verano del año 2000. Durante los dos años siguientes, las acciones perdieron, de media, un 40 por 100 de su valor.

Poco después comenzó a inflarse la siguiente burbuja.

La burbuja inmobiliaria tenía, en cierto sentido, menos razón de ser que la burbuja bursátil de la década anterior. Sí, había sido una insensatez dejarse llevar de aquel modo con Pets.com y todo aquello, pero lo cierto es que aquel universo tecnológico nuevo y excitante estaba buscando quien lo explotara. Si a eso le añadimos una mejora real de los indicadores —la estanflación ya no era una amenaza y el ciclo económico parecía haberse moderado—, había motivos para creer que algunas de las reglas del pasado habían pasado a mejor vida.

Sin embargo, ¿cómo se justificaba una burbuja inmobiliaria? Sabemos qué hizo que los precios de la vivienda empezaran a subir: durante los primeros años de esta década, los tipos de interés estaban muy bajos, por razones que explicaré a continuación, lo que hacía que resultara más atractivo comprar una casa. Y, evidentemente, esto justificaba un cierto aumento de los precios.

Pero no justificaba la creencia de que todas las reglas del pasado habían quedado derogadas. Una casa es una casa; hace ya muchos años que los estadounidenses acostumbran a comprar una casa pidiendo una hipoteca, pero resulta difícil comprender por qué hubo quien creyó, allá por 2003, que los principios básicos de esos préstamos ya habían quedado superados. Los años de experiencia nos enseñan que, quien quiera comprarse una casa, no debería pedir una hipoteca cuyas cuotas no pueda permitirse, y que debería dar una entrada suficiente para que, aun en el supuesto de un ligero descenso de los precios de la vivienda, el valor líquido siguiera siendo positivo. Unos tipos de interés bajos deberían haber redundado en las cuotas de las hipotecas, pero poco más.

Lo que realmente sucedió, sin embargo, fue que la gente olvidó por completo los principios tradicionales, en parte a causa de la exuberancia irracional de algunas familias que, a la vista de que el precio de la vivienda no se detenía, decidieron lanzarse al mercado sin preocuparse por cómo iban a devolver el dinero. No obstante, la causa principal de este abandono fue un cambio en las prácticas prestatarias. A los compradores se les concedían hipotecas sin haber dado una entrada o tras pagar una pequeña entrada, y a sabiendas de que las cuotas mensuales estaban muy por encima de sus posibilidades —o que serían inasumibles cuando llegara el momento de recalcular aquel tipo de interés inicial bajo que había servido para atraerlos—. Aunque no todas, una parte importante de estas arriesgadas prácticas pertenecía a lo que se ha dado en llamar «hipotecas de alto riesgo» (o *subprime*), pero el fenómeno era mucho más amplio. Y ni eran sólo aquellos compradores con una renta baja los que estaban estirando más el brazo que la manga, ni pertenecían únicamente a las minorías: la situación afectaba por igual a toda la sociedad.

¿Por qué suavizaron sus condiciones los prestamistas? En primer lugar, se convencieron de que el precio de la vivienda no dejaría de subir. Mientras el precio de la vivienda siga subiendo, para quien presta dinero no es importante que la persona que ha contraído la hipoteca pueda pagar las cuotas: si éstas son demasiado elevadas, el comprador puede conseguir más dinero pidiendo un préstamo garantizado por la inversión neta, una vez restado el valor total de la hipoteca, o, en el peor de los casos, vender la casa para liquidar la hipoteca. En segundo lugar, los prestamistas no estaban preocupados por la calidad de las hipotecas porque, en vez de conservarlas, se las vendían a unos inversores que no sabían qué estaban comprando.

La «conversión a valores» de las hipotecas —es decir, la creación de grandes paquetes de hipotecas para vender a continuación a los inversores una participación sobre las cuotas satisfechas por los prestatarios— no es una práctica nueva. De hecho, la inventó Fannie Mae, la agencia de préstamo auspiciada por el gobierno y que nació en los años treinta. Hasta la gran burbuja inmobiliaria, sin embargo, esta conversión a valores estaba más o menos limitada a las hipotecas de bajo riesgo: préstamos concedidos a unos prestatarios que podían dar una buena entrada y cuyos ingresos eran suficientes para abonar las cuotas. De vez en cuando, algunos de estos prestatarios no cumplían con los pagos, porque habían perdido el trabajo o a causa de una urgencia médica, pero la proporción de morosidad era baja y tanto los compradores como los avalistas sabían más o menos qué estaban comprando.

La innovación financiera que hizo posible la conversión a valores de las hipotecas de alto riesgo fue la obligación de deuda garantizada (CDO). Una CDO ofrecía participaciones sobre los pagos de un paquete de hipotecas, pero no todas las participaciones tenían el mismo rango. Las había «senior», que daban un derecho preferencial sobre los pagos de los hipotecados. Una vez satisfecho este grupo, el dinero se repartía entre quienes poseían una participación «júnior». En principio, este sistema estaba pensado para que las participaciones senior fueran una inversión muy segura; aun cuando algunos hipotecados entraran en mora, ¿qué posibilidades había de que la cifra de morosos fuera lo suficientemente elevada para poner en dificultades el flujo monetario que les correspondía a estos miembros senior? (Muchas, como se comprobó, pero nadie supo verlo en su momento.) Por este motivo, las agencias de calificación dieron la puntuación más alta, AAA, a las participaciones senior de las CDO, a pesar de que las hipotecas sobre las que se sustentaban eran de lo más dudoso. Todo esto abrió la puerta a la financiación a gran escala de las hipotecas de alto riesgo, habida cuenta de la gran cantidad de inversores institucionales existentes, como por ejemplo los fondos de pensiones, que solamente compran productos que han obtenido la calificación AAA pero que parecían reticentes a adquirir unos activos de ese tipo, cuyo rendimiento era superior al de los bonos.

Todo fue sobre ruedas mientras el precio de la vivienda siguió subiendo y el esquema de Ponzi continuó funcionando. Hubo algún que otro moroso, el rendimiento de los valores respaldados por hipotecas fue muy elevado y los fondos siguieron llegando al mercado inmobiliario. Algunos economistas, incluido quien esto escribe, advirtieron de la existencia de una gran burbuja inmobiliaria, y de que su estallido podía poner en un grave peligro a la economía, pero otras figuras autorizadas se pronunciaron en sentido contrario. Alan Greenspan, más concretamente, declaró que era «harto improbable» que el precio de la vivienda cayera. Admitía que algunos mercados inmobiliarios locales podían estar «inflados», pero negaba que se tratara de una burbuja nacional.

Pero sí lo era, y en 2006 empezó a desinflarse, lentamente al principio, pero su velocidad fue en aumento. Por aquel entonces, Greenspan ya no era el presidente de la Reserva Federal, y su lugar lo ocupaba Ben Bernanke. Sin embargo, las tesis de Greenspan seguían teniendo predicamento: la Reserva Federal (y la Administración Bush) creían que era posible «contener» los efectos de la caída del precio de la vivienda, y que Bernanke era, como Greenspan antes que él, la persona idónea para llevar el timón de Estados Unidos.

Pero el recuerdo del estallido de la burbuja bursátil debería haber servido como advertencia de que se había perdido la confianza.

CUANDO LAS BURBUJAS ESTALLAN...

Éste es el relato que se suele hacer de las consecuencias de la burbuja bursátil de los años noventa: después de que la burbuja estallara, la economía estadounidense entró en recesión. Pero Greenspan decretó una bajada drástica de los tipos de interés y rápidamente invirtió la situación. La recesión no era grave —el PNB no había sufrido un descenso considerable— y acabó ocho meses más tarde.

En realidad, las cosas fueron así: oficialmente, la recesión fue corta, pero el mercado laboral siguió deteriorándose durante mucho tiempo después de que las autoridades hubieran decretado el fin oficial de la recesión. Podemos verlo en el gráfico de la página 151: la tasa de desempleo se disparó durante la recesión (la barra sombreada), y siguió aumentando en los meses posteriores. De hecho, el deterioro del mercado laboral no duró ocho meses, sino dos años y medio.

En esta situación, cabe preguntarse por los motivos que llevaron a declarar tan pronto el fin de la recesión. En Estados Unidos, las fechas oficiales de inicio y de fin de la recesión las determina una comisión independiente de economistas que está vinculada a la Oficina Nacional de Investigación Económica. La comisión estudia diferentes indicadores, como el empleo, la producción industrial, el gasto de los consumidores y el PNB. Cuando todos estos indicadores van a la baja, se declara la recesión. Cuando algunos de ellos vuelven a subir, la recesión ha concluido. A finales de 2001, la producción industrial y el PNB, iban, aunque lentamente, en aumento, lo que demostraba el fin de la recesión oficial. Sin embargo, como ya hemos visto, la situación en el mercado laboral iba de mal en peor.

Asimismo, la Reserva Federal estaba sumamente preocupada por la debilidad del mercado laboral y por el aletargamiento general de la economía, dos aspectos que recordaban demasiado al Japón de los años noventa. Tiempo después, Greenspan escribió que le preocupaba la posibilidad de una «deflación corrosiva». Por ese motivo siguió bajando los tipos de interés, hasta situar el precio del dinero de la Reserva Federal en un mero 1 por 100.

La política monetaria volvió a arrancar gracias al mercado inmobiliario. Los cínicos dijeron que Greenspan debía su éxito a que había cambiado la burbuja bursátil por una inmobiliaria, y estaban en lo cierto. Lo que todo el mundo debería haberse preguntado, y pocos hicieron, era: ¿qué pasará cuando estalle la burbuja inmobiliaria? La Reserva Federal apenas había sido capaz de sacar a la economía de la depresión en la que había caído tras la burbuja bursátil y, de hecho, sólo lo logró porque tuvo la suerte de que otra burbuja se cruzó en su camino en el momento adecuado. ¿Sería acaso capaz la Reserva Federal de repetir semejante proeza?

Las consecuencias del estallido de la burbuja inmobiliaria han sido peores de lo que prácticamente todo el mundo imaginaba. ¿Por qué? Porque a todos nos había pasado inadvertido el cambio que se había operado en el sistema financiero.

8

Hacer banca en la sombra

LOS BANCOS SON ALGO MARAVILLOSO, cuando van bien. Y, por lo general, suelen ir bien. Pero cuando no van bien, pueden destapar la caja de los truenos, como ha sucedido en Estados Unidos y en buena parte del mundo durante el último año.

Pero, ¿no decían que la era de las crisis bancarias había acabado hace setenta años? ¿Acaso no están los bancos sujetos a normas? ¿No están asegurados? ¿No hay seguros que los cubren? Sí y no. Sí, en el caso de los bancos tradicionales; no, en gran parte del sistema bancario *de facto* moderno.

Para entender el problema, repasemos, de un modo sucinto y selectivo, la historia de la banca y de las normas por las que se rige.

UNA HISTORIA SIMPLIFICADA DE LA BANCA

Cuentan que los creadores de los bancos modernos fueron los orfebres, cuya ocupación principal era hacer joyas pero que, sin embargo, desarrollaron una fructífera actividad paralela como depositarios del dinero del resto de la población: como en los talleres de los orfebres había cajas fuertes, podían ofrecer a los ricos un lugar más seguro para guardar su dinero que, por ejemplo, una caja de caudales bajo la cama. (Piensen en Silas Marner.)

Llegó el día en que los orfebres descubrieron que su actividad paralela como depositarios de dinero podía resultarles más fructífera todavía si cogían una parte del dinero que les había sido confiado y lo prestaban con intereses. Podríamos pensar que haciendo algo así corrían el riesgo de meterse en líos: ¿y si los propietarios del dinero se presentaban y exigían su devolución inmediata? Sin embargo, los orfebres observaron que, por ley de probabilidades, aquélla era una situación improbable: puede que un día algunos depositarios vinieran a reclamar que se les devolvieran los ahorros, pero la mayoría no vendría a la vez. Así que les bastaba con conservar en forma de reservas una parte de ese dinero, el resto lo podían poner a trabajar. Y así nació la banca.

No obstante, de vez en cuando las cosas se torcían de un modo espectacular. Corría el rumor —tal vez cierto, tal vez falso— de que las inversiones del banco no habían funcionado, de que no poseía activos suficientes para devolver el dinero a los depositarios. Aquellos rumores llevaban a los depositarios a correr hasta el banco para sacar el dinero antes de que hubiera desaparecido —lo que se conoce como «un pánico bancario». A menudo, el pánico provocaba la quiebra del banco aun cuando el rumor inicial fuera falso: para poder disponer cuanto antes de liquidez, el banco tenía que malvender sus activos y, por supuesto, con los precios que le daban, era *imposible* que dispusiera de activos suficientes para pagar lo que debía. A la vista de que los pánicos bancarios podían hundir a una institución que gozara de buena salud, los pánicos bancarios se convirtieron en profecías que acababan por cumplirse: un banco no se hundía porque se rumoreara que sus inversiones habían ido mal sino simplemente porque corría el rumor de que estaba a punto de quebrar a causa de un pánico.

Y una de las cosas que podía provocar este tipo de rumores era el hecho de que otros bancos ya hubieran sufrido pánicos bancarios. La historia del sistema financiero estadounidense anterior a la Gran Depresión está salpicada de «pánicos»: el pánico de 1873, el pánico de 1907... En su mayoría, estos pánicos fueron una reacción en cadena: la quiebra de un banco minaba la confianza en otros, y las instituciones financieras caían como fichas de dominó.

Por cierto, cualquier parecido entre esta descripción de los pánicos bancarios anteriores a la Gran Depresión y la crisis financiera en cadena que asoló Asia a finales de los años noventa no es fruto de la casualidad. Todas las crisis financieras tienden a guardar un cierto parecido entre sí.

El problema de los pánicos bancarios obligó a buscar soluciones. Entre la guerra civil americana y la primera guerra mundial, Estados Unidos careció de un banco central —la Reserva Federal nació en 1913—, aunque contaba con un sistema de «bancos nacionales» que estaban sujetos a un leve grado de regulación. Asimismo, en algunos puntos del país, los banqueros crearon, con sus propios recursos, un fondo común para instituir cámaras de compensación locales que garantizaran conjuntamente el pasivo de uno de sus miembros si estallaba un pánico bancario, y algunos gobiernos estatales comenzaron a ofrecer a los bancos la posibilidad de asegurar sus depósitos.

El pánico de 1907, sin embargo, puso de relieve los límites de este sistema, y se antoja un curioso precedente de la crisis actual. La crisis nació en los *trusts*, unas instituciones neoyorquinas parecidas a los bancos y que aceptaban depósitos, pero cuyo propósito inicial era simplemente gestionar herencias y el patrimonio de clientes acaudalados. Dado que, en principio, solamente realizaban operaciones de escaso riesgo, la regulación a la que estaban sujetos los *trusts* y los requisitos de reservas y de liquidez que se les exigían eran menores que en el caso de los bancos nacionales. No obstante, con el *boom* de la economía durante la primera década del siglo XX, los *trusts* se lanzaron a la especulación inmobiliaria y bursátil, un terreno vedado a los bancos nacionales. Y dado que estaban sujetos a una regulación menor que los bancos nacionales, los *trusts* disponían de recursos para ofrecer a sus depositarios un mayor rendimiento. Sin proponérselo, los *trusts* se hicieron acreedores de la sólida reputación que acompañaba a los bancos nacionales pues eran, a ojos de los depositarios, unas instituciones tan seguras como éstos. De resultas de todo ello, los *trusts* crecieron rápidamente: en 1907, el valor total de los activos de los *trusts* de Nueva York igualaba la cifra total de activos de los bancos nacionales.

Al mismo tiempo, los *trusts* rechazaron la oferta de entrar en la Cámara de Compensación de Nueva York, un consorcio de los bancos nacionales neoyorquinos que garantizaba la solidez de cada uno de sus miembros, porque, para ello, habrían debido aumentar sus reservas de liquidez, en detrimento de sus beneficios.

El pánico de 1907 se inició con la caída del Knickerbocker Trust, uno de los grandes *trusts* de Nueva York, que quebró después de financiar una operación de especulación bursátil a gran escala que se saldó con un fracaso. Rápidamente, otros *trusts* de Nueva York se encontraron en el ojo del huracán, y los depositarios, asustados, corrieron a sus oficinas para retirar sus fondos. La Cámara de Compensación de Nueva York se negó a intervenir y prestar dinero a los *trusts*, e incluso los que se encontraban en una situación sólida se vieron seriamente amenazados. En dos días, doce de los *trusts* más importantes habían sucumbido. Los mercados crediticios se congelaron y la Bolsa experimentó una caída en picado, al tiempo que los agentes de Bolsa se veían incapaces de conseguir el crédito necesario para financiar sus operaciones y mientras la confianza en los negocios se evaporaba.

Por fortuna, el hombre más rico de Nueva York, un banquero llamado J. P. Morgan, intervino rápidamente para poner fin al pánico. Consciente de que la crisis estaba agravándose y que no tardaría en llevarse por delante también a instituciones solventes, ya fueran bancos o *trusts*, se puso manos a la obra junto a otros banqueros, millonarios como John D. Rockefeller, y al secretario del Tesoro estadounidense para apuntalar las reservas de bancos y *trusts* con el fin de que estas entidades pudieran hacer frente a la retirada masiva de fondos. En cuanto la gente comprobó que no había problema alguno para retirar su dinero, el pánico cesó. Aquella situación de pánico había durado poco más de una semana pero, juntamente con la caída de la Bolsa, había diezmado la economía. A continuación, el país entró en una recesión de cuatro años durante la cual la producción cayó un 11 por 100 y la tasa de desempleo pasó del 3 al 8 por 100.

Aunque se habían salvado del desastre por los pelos, confiar en J. P. Morgan para que rescatara al mundo por segunda vez no parecía una buena idea, ni siquiera en los años dorados. El pánico de 1907 trajo consigo una reforma del sistema bancario. En 1913, desapareció el sistema bancario nacional y nació el sistema de la Reserva Federal, cuyo cometido era obligar a todas las instituciones que aceptaban depósitos a disponer de unas reservas apropiadas y a abrir sus cuentas a las inspecciones de los reguladores. Aunque aquel nuevo régimen homogeneizaba y centralizaba las reservas que los bancos habían de tener, no conjuraba el peligro de un pánico bancario y, a principios de los años treinta, estalló la crisis bancaria más grave de la historia. La caída de la economía provocó el hundimiento de los precios: los más perjudicados por esa situación fueron los granjeros estadounidenses, lo que precipitó una cascada de impagos que desembocaron en los pánicos bancarios de 1930, 1931 y 1933, que se iniciaron, todos, en bancos del Medio Oeste antes de extenderse a todo el país. Prácticamente todos los historiadores de la economía coinciden en que fue precisamente la crisis bancaria lo que convirtió una seria recesión en la Gran Depresión.

Para responder a aquella situación, se creó un sistema con muchas más garantías. La ley Glass-Steagall separó los bancos en dos categorías: bancos comerciales, que aceptaban depósitos, y bancos de inversión, que no. Los bancos comerciales tenían claramente delimitados los riesgos que podían asumir; a cambio, podían acceder fácilmente al crédito de la Reserva Federal (al *discount-window*, un departamento que se encarga de atender las peticiones de préstamos a tasas de descuento) y, probablemente lo que era más importante, sus depósitos estaban garantizados directamente por los contribuyentes. Los bancos de inversión estaban sujetos a una regulación mucho más estricta, algo que, sin embargo, se consideraba aceptable porque, en tanto que entidades que no trabajaban con depósitos, en principio no tenían por qué temer a los pánicos bancarios.

Durante casi setenta años, este nuevo sistema protegió a la economía de las crisis financieras. Las cosas no siempre fueron bien. Uno de los momentos más recordados se produjo en los años ochenta, cuando una combinación de mala suerte y malas decisiones políticas provocó la quiebra de muchas sociedades de ahorro y préstamos, un tipo de banco que se había convertido en la fuente principal de préstamos hipotecarios. Dado que los depósitos de estas sociedades estaban avalados federalmente, los contribuyentes acabaron corriendo con los gastos, que ascendían a un 5 por 100 del PNB (un porcentaje que hoy equivaldría a unos 700.000 millones de dólares). La quiebra de estas sociedades provocó una contracción temporal del crédito, una de las causas principales de la recesión de 1990-1991, como podemos ver en el gráfico de la página 151. Pero aquello fue todo. La era de las crisis bancarias había terminado. O eso fue lo que nos dijeron...

Pero no era así.

El sistema bancario en la sombra

¿Qué es un banco?

La pregunta puede parecer estúpida. Todos sabemos qué aspecto tiene un banco: es un gran edificio de mármol —de acuerdo, hoy en día, una construcción así también podría ser la entrada principal de un centro comercial— con cajeros que toman y dan dinero y un letrero en la entrada que asegura que los depósitos están garantizados por la Corporación Federal de Seguros de Depósitos (FDIC).

Para un economista, sin embargo, no es su apariencia lo que define a un banco, sino su actividad. Desde los tiempos de aquellos orfebres emprendedores hasta nuestros días, la característica esencial de los bancos es que prometen a todo aquel que les confíe su dinero que podrá acceder al mismo cuando quiera, a pesar de que buena parte de esos depósitos están invertidos en activos que no se pueden liquidar de un día para otro. Cualquier institución o acuerdo que permita hacer esto es un banco, tenga o no su sede en un gran edificio de mármol.

Pensemos, por ejemplo, en el producto que recibe el nombre de *auction-rate security*, inventado por Lehman Brothers en 1984 y que se convirtió en la fuente predilecta de financiación de muchas instituciones, desde la Autoridad Portuaria de Nueva York y Nueva Jersey hasta el Museo Metropolitano de Arte de Nueva York. Las características de este producto eran las siguientes: un individuo hacía un préstamo a largo plazo a la entidad prestataria; legalmente, el dinero podía llegar a estar inmovilizado por un período de hasta treinta años. Con frecuencia, sin embargo —a menudo una vez por semana—, la institución celebraba una pequeña subasta en la que nuevos inversores potenciales pujaban por el derecho a sustituir a los inversores que querían marcharse. El tipo de interés que saliera de la subasta se aplicaría a todos los fondos invertidos en ese producto hasta la celebración de una nueva subasta, y así sucesivamente. Si la subasta no prosperaba, es decir, si no había una cifra de postores suficiente para permitir que todo aquel que quisiera marcharse lo hiciera, se aplicaba un tipo de interés mayor, por ejemplo, un 15 por 100; sin embargo, aquella posibilidad no estaba prevista. El propósito de estos *auction-rate securities* era conciliar el deseo de los prestatarios de lograr una vía segura de financiación a largo plazo con el deseo de los prestamistas de poder acceder en cualquier momento a su dinero.

Pero eso es precisamente lo que hace un banco.

No obstante, los *auction-rate securities* parecían ofrecer a todas las partes implicadas unas condiciones más ventajosas que las de la banca convencional. Los inversores que participaban en los *auction-rate securities* se beneficiaban de unos tipos de interés más altos que los de los depósitos bancarios, mientras que quienes ofertaban esos productos pagaban un tipo de interés más bajo que el que deberían abonar a un banco por un préstamo a largo plazo. Milton Friedman nos dice que no hay comidas gratis, pero eso parecían ofrecer los *auction-rate securities*. ¿Cómo lo hacían?

La respuesta parece evidente, cuando menos *a posteriori*. Los bancos están sujetos a una estricta regulación: deben tener reservas en efectivo, disponer de un capital sustancial y participar en el sistema de seguros de los depósitos. Consiguiendo fondos por medio de los *auction-rate securities*, los prestatarios podían esquivar todas esas reglas y sus gastos derivados. Sin embargo, por eso mismo, no estaban protegidos por la red de seguridad del sistema bancario.

Y, por supuesto, el sistema de los *auction-rate securities*, cuyo valor en su momento álgido era de 400.000 millones de dólares, se vino abajo a principios de 2008. Una tras otra, las subastas no prosperaron, pues apenas llegaban nuevos inversores para permitir que los inversores existentes recuperaran su dinero. Quienes creían que podían disponer de su dinero en cualquier momento descubrieron, de repente, que estaba inmovilizado en inversiones a varias décadas vista de las que no podían desligarse. Y cada subasta fallida llevaba a otra: a la vista de los peligros que entrañaban aquellas inversiones demasiado ingeniosas, ¿quién iba a confiar su dinero a ese sistema?

Lo que sucedió con los *auction-rate securities* fue, ni más ni menos, una sucesión de pánicos bancarios, aunque con otro nombre.

Los paralelismos con el pánico de 1907 deberían resultar evidentes. A principios del siglo XX, los *trusts*, aquellas instituciones similares a los bancos que parecían ofrecer unas mejores condiciones por cuanto estaban fuera del marco regulador, crecieron rápidamente hasta convertirse en el epicentro de una crisis financiera. Un siglo más tarde, volvía a suceder lo mismo.

Hoy, el conjunto de instituciones y acuerdos que funcionan como «bancos que no son bancos» reciben generalmente el nombre de «sistema bancario paralelo» o «sistema bancario en la sombra». La segunda expresión no sólo se me antoja mucho más gráfica, sino también más pintoresca. Los bancos convencionales, que aceptan depósitos y que forman parte del sistema de la Reserva Federal, operan con mayor o menor transparencia, sus cuentas son públicas y están sujetos a la atenta mirada de los reguladores. Las operaciones de las instituciones que no trabajan con depósitos y que, sin embargo, son bancos *de facto*, por su parte, son mucho menos claras. En efecto, hasta el estallido de la crisis, poca gente parecía haberse dado cuenta de la importancia que había cobrado el sistema bancario en la sombra.

En junio de 2008, Timothy Geithner, el presidente del Banco de la Reserva Federal de Nueva York, pronunció un discurso en el Club Económico de Nueva York en el que intentó explicar que el fin de la burbuja inmobiliaria podría haber provocado muchos más estragos de los que había causado. (Geithner no lo sabía, pero lo peor estaba por venir.) Aunque el discurso estaba, necesariamente, escrito en «bancocentralés» y plagado de terminología técnica, Geithner expresaba así su sorpresa ante el descontrol que se había apoderado del sistema:

> La estructura del sistema financiero cambió de un modo fundamental durante el *boom*, y aumentó espectacularmente la proporción de activos ajenos al sistema bancario tradicional. Este sistema financiero no bancario creció hasta asumir unas dimensiones considerables, especialmente en los mercados monetario y de financiación. A principios de 2007, el volumen total de los títulos comerciales respaldados por activos, de los vehículos de inversión estructurados, de los *auction-rate* preferentes, de los bonos con opción de oferta y de los pagarés a la vista de tipo variable era de unos 2,2 billones de dólares. Los activos financiados a muy corto plazo en *repo tripartito* sumaban a unos 2,5 billones de dólares. Los activos en *hedge funds*, unos 1,8 billones de dólares. El balance combinado de los cinco mayores bancos de inversión del momento era de 4 billones de dólares.
>
> Por su parte, los activos totales de los cinco principales *holdings* bancarios estadounidenses a la sazón superaban los 6 billones de dólares, y los activos totales de todo el sistema bancario sumaban alrededor de 10 billones de dólares.

A continuación, Geithner incluyó toda una serie de productos financieros, no sólo los *auction-rate securities*, en el «sistema financiero no bancario», formado por entidades que no eran bancos desde un punto de vista regulador y que, sin embargo, llevaban a cabo algunas de las funciones de éstos. Y señaló hasta qué punto era vulnerable el nuevo sistema:

> La cantidad de activos relativamente no líquidos y dudosos a largo plazo financiados por pasivos a muy corto plazo hizo que muchos de los vehículos e instituciones de este sistema financiero paralelo fueran vulnerables a un pánico clásico, y que no pudieran beneficiarse, además, de las garantías de que dispone el sistema bancario para reducir estos riesgos, como los seguros sobre los depósitos.

En efecto, algunos de los sectores a los que se refirió se han hundido: los *auction-rate securities* se han esfumado, como ya hemos comentado; los títulos negociables respaldados por activos (emisiones de deuda a corto plazo de fondos que invertían el dinero en activos a largo plazo, incluidos productos respaldados por hipotecas) han desaparecido; dos de los cinco bancos de inversión más importantes han quebrado y otro se ha fusionado con un banco convencional... El tiempo ha demostrado que Geithner no detectó otros aspectos altamente vulnerables: el gobierno tuvo que nacionalizar AIG, la mayor aseguradora del mundo, y el *carry trade*, un producto financiero internacional que transfería fondos de Japón y otros países con tipos de interés bajos a unas inversiones altamente volátiles en cualquier otro lugar del mundo, entró en crisis en el momento en que esta nueva edición iba a imprenta.

Pero dejemos la discusión sobre la crisis para el próximo capítulo y preguntémonos ahora sobre cómo se fraguó: ¿por qué se permitió que el sistema fuera tan vulnerable?

UNA NEGLIGENCIA PERVERSA

Inevitablemente, la crisis financiera ha desembocado en una búsqueda de culpables.

Algunas de las acusaciones que se han vertido son totalmente espurias, como la afirmación, popular entre la derecha, de que todos nuestros problemas se deben a la Ley de Reinversión Comunitaria, que al parecer obligaba a los bancos a prestar dinero a individuos de las minorías interesados en comprar una casa y que acabaron por no poder hacer frente a la hipoteca; de hecho, esa ley se aprobó en 1977, y resulta difícil entender qué parte de culpa tiene en una crisis que estalló tres décadas más tarde. Sea como fuere, la ley solamente se aplicaba a los bancos depositarios, y la proporción de morosos durante la burbuja inmobiliaria atribuibles a esas instituciones es pequeña.

Otras acusaciones tienen algo de razón, pero no por ello dejan de ser falsas. Los conservadores tienden a culpar de la burbuja inmobiliaria y de la fragilidad del sistema financiero a Fannie Mae y a Freddie Mac, las entidades de préstamo auspiciadas por el gobierno que fueron pioneras en la conversión a valores. Es cierto que Fannie y Freddie, que habían crecido extraordinariamente entre 1990 y 2003 debido sobre todo a que estaban llenando el vacío provocado por la quiebra de muchos bancos hipotecarios, demostraron una cierta imprudencia a la hora de conceder algunas hipotecas y, además, se vieron salpicadas por diferentes escándalos contables. Pero las inspecciones a las que sometieron a Fannie y a Freddie a raíz de esos escándalos provocaron que apenas estuvieran activas durante el período más efervescente de la burbuja inmobiliaria, de 2004 a 2006. Por ello, ambas agencias solamente desempeñaron un papel menor en la epidemia de malas prácticas hipotecarias.

Entre las voces de la izquierda, muchos son los que responsabilizan de la crisis a la desregulación y, sobre todo, a la derogación, en 1999, de la ley Glass-Steagall, que permitió a los bancos comerciales entrar en el negocio de los bancos de inversión y asumir, por lo tanto, más riesgos. Con el paso del tiempo, no cabe duda de que aquella decisión fue errónea y que tal vez contribuyó un tanto a la crisis; por ejemplo, algunas de las arriesgadas estructuras financieras que nacieron durante los años del *boom* eran operaciones «fuera de balance» de los bancos comerciales. Con todo, la crisis prácticamente no ha amenazado a las instituciones desreguladas que optaron por asumir nuevos riesgos. Sí ha amenazado, en cambio, a aquellas que jamás estuvieron sometidas a regulación.

Y me atrevería a decir que ahí radica el quid de la cuestión. A medida que el sistema bancario en la sombra crecía para competir en importancia con la banca convencional, o incluso superarla, los políticos y los funcionarios gubernamentales deberían haber advertido que estaban resucitando la misma vulnerabilidad financiera que había propiciado la Gran Depresión, y deberían haber decretado una mayor regulación y ampliado la red de seguridad financiera para proteger también a esas nuevas instituciones. Las voces más influyentes deberían haber manifestado algo tan sencillo como que todo aquello que se comporte como un banco, y todo aquello que deba ser rescatado durante una crisis como se rescataría a un banco, debe estar sujeto a la misma regulación que un banco.

De hecho, la crisis de la gestión de capitales a largo plazo, de la que hemos hablado en el capítulo 6, debería haber servido de ejemplo sobre los peligros del sistema bancario en la sombra, pues mucha gente fue entonces consciente de cuán cerca había estado el sistema de quebrar.

En su lugar, desoyeron los avisos y nadie hizo nada para ampliar la regulación existente. Antes bien, el espíritu de los tiempos —y los postulados de la Administración de George W. Bush— era profundamente contrario a la regulación, una actitud que quedó recogida en una sesión fotográfica que tuvo lugar en 2003, en la que representantes de las diferentes agencias encargadas de supervisar las actividades bancarias usaron cizallas y sierras de cadenas para cortar pilas de reglamentos. Concretamente, la Administración Bush se escudó en el poder federal, incluidas las oscuras atribuciones de la Oficina del Jefe de Moneda Extranjera, para bloquear cualquier iniciativa de los estados con vistas a imponer una cierta supervisión sobre las hipotecas de alto riesgo.

Entretanto, la gente que debería haber estado preocupada por la fragilidad del sistema se dedicaba, en su lugar, a alabar la «innovación financiera». «No sólo las instituciones financieras son hoy, una por una, menos vulnerables a las sacudidas de los factores de riesgo subyacentes —declaró Alan Greenspan en 2004—, sino que, en su conjunto, el sistema financiero ha ganado en resistencia.»

Y así fue como ignoraron o menospreciaron el riesgo cada vez mayor de una crisis del sistema financiero y de la economía. Y la crisis estalló.

9

La suma de todos los miedos

E L 19 DE JULIO DE 2007, EL PROMEDIO INDUSTRIAL Dow Jones superó por vez primera los 14.000 puntos. Dos semanas más tarde, la Casa Blanca emitió un comunicado que ensalzaba el rendimiento de la economía bajo la supervisión de la Administración Bush: «Las políticas presidenciales destinadas a fomentar el crecimiento contribuyen a que nuestra economía siga siendo fuerte, flexible y dinámica», rezaba. ¿Qué había de los problemas que ya se apreciaban en el mercado inmobiliario y en las hipotecas de alto riesgo? En su mayoría, se han «contenido», dijo el secretario del Tesoro Henry Paulson en un discurso pronunciado el 1 de agosto en Pekín.

El 9 de agosto, el banco francés BNP Paribas suspendió la retirada de dinero de tres de sus fondos. Había estallado la primera gran crisis financiera del siglo XXI.

Siento deseos de decir que esta crisis no se parece a ninguna de las que hemos visto en el pasado, pero sería más acertado decir que es idéntica a todo lo que hemos visto en el pasado, con la particularidad de que, en esta ocasión, todos esos elementos se dan simultáneamente: el estallido de la burbuja inmobiliaria comparable a lo que sucedió en Japón a finales de los años ochenta; una sucesión de pánicos bancarios como los que se dieron en los años treinta (si bien ahora el principal afectado es, sobre todo, el sistema bancario en la sombra y no la banca convencional); una trampa de liquidez en Estados Unidos que nos recuerda de nuevo a lo acaecido en Japón; y, más recientemente, una interrupción de los flujos de capital internacionales y una serie de crisis de divisas demasiado similares a lo que pasó en Asia a finales de los años noventa.

Pasemos a los hechos.

EL DESCALABRO DEL SECTOR INMOBILIARIO Y SUS CONSECUENCIAS

El gran *boom* inmobiliario estadounidense empezó a decaer en otoño de 2005, si bien habría de pasar un tiempo antes de que la mayoría de la población lo percibiera. Cuando los precios alcanzaron unos niveles que hacían que muchos estadounidenses ya no pudieran plantearse la compra de una casa —ni siquiera sin necesidad de dar una entrada o contratando unas hipotecas cuyos intereses eran, al principio, un atractivo reclamo—, las ventas comenzaron a descender. Como escribí en su momento, se podía escuchar el ruido del aire que salía de la burbuja a medida que esta se deshinchaba.

Pero los precios de la vivienda siguieron subiendo durante un tiempo. Era previsible. Las casas no son como las acciones: no hay un único mercado en el que los precios fluctúen a cada minuto. Cada casa es única, y los vendedores saben que tendrá que pasar un tiempo antes de encontrar un comprador. Esta situación provoca que los precios tiendan a basarse en lo que se ha obtenido por las casas que se han vendido recientemente: los vendedores no comienzan a rebajar el precio hasta que es demasiado evidente que no van a recibir ofertas por lo que piden. En 2005, después de un largo período durante el cual el precio de la vivienda aumentó considerablemente cada año, los vendedores confiaban en el mantenimiento de aquella tendencia, de modo que, durante unos meses y a pesar del descenso en las ventas, los precios que pedían siguieron subiendo.

A finales de la primavera de 2006, sin embargo, la debilidad del mercado comenzaba a ser patente. Los precios empezaron a bajar, lentamente de entrada, pero su caída no tardó en acelerarse. En el segundo trimestre de 2007, según el índice de precios del mercado inmobiliario Case-Shiller, el más utilizado, éstos solamente habían bajado un 3 por 100 en relación con el pico que se había registrado un año antes. Durante el año siguiente, el descenso superaría el 15 por 100. Evidentemente, la caída de los precios era mayor en aquellas regiones en las que la burbuja había sido también mayor, como la costa de Florida.

No obstante, el descenso gradual inicial en el precio de la vivienda socavó los cimientos sobre los que se basó el *boom* de las hipotecas de alto riesgo. Recuerden: la lógica de esas hipotecas era que, para el prestamista, no tenía importancia si el prestatario podía satisfacer las cuotas de la hipoteca: mientras el precio de la vivienda siguiera subiendo, los prestatarios en apuros siempre podrían refinanciar la hipoteca o liquidarla vendiendo la casa. En cuanto el precio de la vivienda comenzó a bajar en lugar de subir y resultó cada vez más difícil vender las casas, el índice de morosos empezó a aumentar. En ese momento, otra fea verdad salió a la luz: la ejecución de una hipoteca no es solamente una tragedia para los propietarios, sino que también es un engorro para el prestamista. Entre lo que se tarda en volver a sacar al mercado la casa ejecutada, los gastos legales de esa acción, el proceso de degradación que se suele dar en las casas vacías y demás, los acreedores que arrebatan una casa al prestatario recuperan, por lo general, tan sólo una parte, tal vez la mitad, del valor original del préstamo.

En ese caso, cabría preguntarse: ¿por qué no se llega a un acuerdo con el propietario de la casa para reducir las cuotas y evitar los gastos que genera una ejecución? En primer lugar, porque eso también cuesta dinero, y para ello se necesita personal. Además, la mayoría de las hipotecas de alto riesgo no las concedían bancos que conservaban para sí esos préstamos, sino agentes hipotecarios que rápidamente las vendían a instituciones financieras que, a su vez, dividían esas hipotecas en paquetes y las convertían en obligaciones de deuda garantizada (CDO) que vendían a los inversores. De la gestión real de las hipotecas se encargaban los gestores de hipotecas, que carecían de los recursos y, las más de las veces, de los incentivos para diseñar un plan de reestructuración hipotecaria. La cosa no acababa ahí: la complejidad de los procesos de ingeniería financiera que respaldaban las hipotecas de alto riesgo, y que hacía que la propiedad de esas hipotecas estuviera repartida entre muchos inversores con más o menos derechos sobre la hipoteca, originaba unos obstáculos legales tremendos en el supuesto de que quisiera condonarse la deuda.

En la mayoría de los casos, la reestructuración era una opción que quedaba descartada, lo que desembocó en un gran número de costosas ejecuciones. De ese modo, en cuanto el *boom* inmobiliario comenzó a tambalearse, los valores que respaldaban las hipotecas de alto riesgo se convirtieron en inversiones pésimas.

El primer momento de la verdad llegó a principios de 2007, cuando el problema de las hipotecas de alto riesgo empezó a manifestarse. Recuerden que las obligaciones de deuda garantizada dividían las acciones en categorías: los propietarios de las acciones de primera categoría, aquellas que habían merecido la calificación AAA por parte de las agencias de calificación, tenían una opción preferencial sobre los pagos, mientras que los poseedores de títulos de una categoría inferior, y con una calificación más baja, solamente cobraban después de que los primeros hubieran recibido su parte. Allá por febrero de 2007 quedó claro que los titulares de las acciones con una calificación menor iban a sufrir, con toda probabilidad, graves pérdidas, y los precios de esas acciones se hundieron. Aquello supuso más o menos el fin de todo el proceso de las hipotecas de alto riesgo: comoquiera que nadie estaba dispuesto a comprar esas acciones, ya no era posible redistribuir y vender las hipotecas de alto riesgo y la fuente de financiación desapareció. Esto, a su vez, empeoró la crisis de la vivienda, pues acabó con una fuente importante de demanda inmobiliaria.

Con todo, los inversores siguieron creyendo durante mucho tiempo que las acciones de primera categoría de las CDO estaban razonablemente bien protegidas. En octubre de 2007, las acciones de la categoría AAA de los paquetes de hipotecas de alto riesgo todavía se vendían prácticamente por su valor nominal. Al final, sin embargo, era evidente que nada de lo que estuviera relacionado con el mundo de la vivienda era seguro: ni esas acciones, ni siquiera las hipotecas que se habían concedido a unos prestatarios de cuya solvencia no dudaban las instituciones y que daban una cantidad importante de dinero en concepto de entrada.

¿Por qué? Por las dimensiones de la burbuja inmobiliaria. A escala nacional, el precio de la vivienda estaba sobrevalorado posiblemente en un 50 por 100 en comparación con el verano de 2006, de modo que, para eliminar esa sobrevaloración, los precios debían caer una tercera parte. En algunas zonas metropolitanas, la sobrevaloración era mucho mayor. En Miami, por ejemplo, el precio de la vivienda prácticamente doblaba lo que podía estar justificado de acuerdo con los baremos básicos. Así, en algunas zonas, los precios bajarían un 50 por 100 o más.

Por todo aquello, prácticamente todo el que había comprado una casa durante los años de auge de la burbuja iba a acabar, aun cuando hubiera dado una entrada equivalente al 20 por 100 de su valor, con un valor líquido negativo, es decir, con un préstamo que valdría más que la casa. En efecto, en el momento de imprimir este libro, se estima que la cifra de propietarios estadounidenses con un patrimonio negativo es de unos doce millones. Y los propietarios con un patrimonio negativo son quienes más números tienen de no poder pagar las cuotas y de ver cómo les embargan la propiedad, sea cual sea su historial. Algunos de ellos optarán por «huir», huir de la hipoteca se entiende, pues suponen que, económicamente, saldrán ganando incluso después de haber perdido la casa. Nunca se ha podido determinar con exactitud la magnitud de este fenómeno, pero no es la única vía para no satisfacer las cuotas de la hipoteca. La pérdida del puesto de trabajo, un gasto médico inesperado o un divorcio son otros factores que pueden provocar que un propietario no pueda hacer frente al pago de la hipoteca. Y si la casa vale menos que la hipoteca, es imposible restituir la totalidad del préstamo.

A medida que la crisis inmobiliaria se agravaba, fue cada vez más claro que los prestamistas perderían mucho dinero y, con ellos, los inversores que habían comprado productos respaldados por hipotecas. Pero, ¿por qué deberíamos llorar por éstos en lugar de por los propietarios? No en vano, cuando llegue el momento de hacer balance, el fin de la burbuja inmobiliaria habrá hecho desaparecer probablemente una riqueza equivalente a unos 8 billones de dólares. De esta cantidad, unos 7 billones de dólares corresponderán a las pérdidas de los propietarios y solamente un billón, a las de los inversores. ¿Por qué obsesionarse con ese billón?

Porque fue lo que provocó el hundimiento del sistema bancario en la sombra.

La crisis del sistema no bancario

Como ya hemos visto, durante la primera mitad de 2007 el sector financiero se vio sometido a algunas sacudidas de consideración aun cuando, a principios de agosto, la postura oficial era que los problemas que habían provocado la crisis del sector inmobiliario y de las hipotecas de alto riesgo estaban bajo control y que la fortaleza del mercado bursátil permitía aventurar que los mercados coincidían con la valoración oficial. Poco después, y por decirlo claramente, la cosa se fue al garete. ¿Qué sucedió?

En el capítulo 8 he citado las palabras de Tim Geithner, del Banco de la Reserva Federal de Nueva York, a propósito de los riesgos que entrañaba el auge del sistema bancario en la sombra: «La cantidad de activos relativamente no líquidos y dudosos a largo plazo financiados por pasivos a muy corto plazo hizo que muchos de los vehículos e instituciones de este sistema financiero paralelo fueran vulnerables a un pánico clásico, y que no pudieran beneficiarse, además, de las garantías de que dispone el sistema bancario para reducir estos riesgos, como los seguros sobre los depósitos». En ese mismo discurso de junio de 2008, describió, con un lenguaje sorprendentemente claro tratándose del gobernador de un banco central, los motivos que habían provocado aquel pánico. Empezó hablando de las pérdidas relacionadas con las hipotecas de alto riesgo, que minaron la confianza en el sistema bancario en la sombra. Y aquello condujo a un círculo vicioso de pérdida de desapalancamiento.

En cuanto los inversores que participaban en aquellos acuerdos financieros —muchos de ellos gestionaban de un modo bastante conservador fondos monetarios— retiraron sus fondos de aquellos mercados o amenazaron con hacerlo, el sistema quedó a merced de un círculo vicioso de liquidaciones forzadas de activos, que acentuó más si cabe la volatilidad y redujo los precios de multitud de activos de tipos muy distintos. Para responder a ello, se aumentó el límite legal a las compras en descubierto y algunos clientes vieron cómo se les cerraban los canales de financiación, lo que conllevó una mayor pérdida de desapalancamiento. El cojín de capital se fue consumiendo a medida que los activos se vendían en unos mercados presa de los nervios. Esta dinámica cobró más fuerza por la escasa calidad de los activos —sobre todo, de los activos vinculados a hipotecas—, que estaban repartidos por todo el sistema. Esto ayuda a explicar por qué una cantidad relativamente pequeña de activos minó de aquel modo la confianza en un abanico mucho mayor de activos, mercados de inversores y demás actores.

Fijémonos en la importancia que, para Geithner, tuvieron en los balances los efectos nocivos derivados de la pérdida de valor de los activos. En un nivel fundamental, nos encontramos ante la misma lógica de la pérdida de desapalancamiento que propició las crisis financieras de Asia de 1997 y 1998, unas crisis que acabaron cumpliendo lo que su estallido había presagiado y que ya hemos analizado en el capítulo 4. Los actores más influyentes del sistema económico sufrieron pérdidas, lo que les obligó a tomar decisiones que acarrearon más pérdidas, y así sucesivamente. En este caso, las pérdidas se debieron más al hundimiento del valor de unos activos financieros dudosos que al desplome de la divisa nacional, como había sucedido en Indonesia o Argentina, pero la historia es esencialmente la misma.

Y el resultado de este proceso que se fue retroalimentando fue, de hecho, un pánico bancario de grandes dimensiones que aceleró la pérdida de frescura del sistema bancario en la sombra, más o menos lo mismo que había sucedido a principios de los años treinta con el sistema bancario convencional. Los *auction-rate securities*, un sector bancario que generaba unos 330.000 millones de dólares en términos de crédito, desaparecieron. Los títulos negociables respaldados por activos, considerados *de facto* como otro sector bancario, pasaron de ofrecer créditos por valor de 1,2 billones de dólares a hacerlo por 700.000 millones. Y así sucesivamente.

En los mercados financieros empezaron a suceder cosas impensables. Los tipos de interés de los bonos del Tesoro estadounidense —es decir, la deuda a corto plazo— cayeron casi hasta el 0 por 100, un descenso motivado porque los inversores buscaban seguridad y, según dijo un analista, lo único que estaban dispuestos a comprar eran bonos del Tesoro y agua embotellada. (Nada hay más seguro en todo el planeta que los títulos de deuda del gobierno estadounidense, no tanto porque Estados Unidos sea la nación más responsable sobre la faz de la Tierra como porque un mundo en el que el gobierno de Estados Unidos se hundiera sería un mundo en el que prácticamente todo lo demás también estaría condenado al fracaso; de ahí la demanda de agua embotellada.) De hecho, en alguna ocasión, los tipos de interés de los bonos del Tesoro llegaron a ser negativos, porque eran lo único que la gente estaba dispuesta a aceptar como producto financiero y prácticamente había bofetadas para hacerse con unos títulos cuya disponibilidad era limitada.

Algunos prestamistas consiguieron recuperarse del hundimiento del sistema bancario en la sombra acudiendo a la banca convencional en busca de crédito. Uno de los efectos aparentemente perversos de la crisis ha sido el crecimiento del crédito bancario, un hecho que ha confundido a algunos observadores: ¿dónde está la contracción del crédito?, se preguntan. No obstante, el crecimiento del crédito bancario a la antigua usanza no sirvió ni por asomo para resolver la situación creada por la quiebra de la banca en la sombra.

El crédito de los consumidores fue lo último que se resintió. Sin embargo, en octubre de 2008 había cada vez más indicios de que las tarjetas de crédito iban a ser las próximas víctimas: el límite de crédito se redujo, cada vez más personas veían su solicitud denegada y la capacidad para aplazar algunas compras de los consumidores estadounidenses, angustiados, decreció.

Empresas y particulares de todos los sectores de la economía ya no tenían acceso a créditos, mientras que otros habían de pagar unos tipos de interés más altos a pesar del esfuerzo de la Reserva Federal por rebajarlos. Todo esto nos lleva a la aparición de una trampa a la japonesa en la política monetaria estadounidense.

LA RESERVA FEDERAL PIERDE EMPUJE

Cuando estalló la crisis financiera, Alan Greenspan ya no era el presidente de la Reserva Federal. En su lugar, y obligado a lidiar con el caos que se había encontrado, estaba Ben Bernanke, un antiguo catedrático de economía de Princeton. (Bernanke fue jefe del departamento de economía antes de marcharse a la Reserva Federal y la persona que me contrató cuando pasé del MIT a Princeton.)

Si hubiera que escoger a una persona para ponerla al frente de la Reserva Federal durante la crisis, esa persona sería Bernanke. Es un estudioso de la Gran Depresión. Sus análisis sobre cómo la crisis agravó la Depresión le llevaron a escribir una de las aportaciones teóricas más importantes en el terreno de la economía monetaria, centrada en el papel de la disponibilidad de crédito y de los problemas de balanza en la reducción de las inversiones (murmuren «Bernanke-Gertler» a un grupo de economistas que discutan con gesto preocupado sobre la crisis y éstos asentirán de manera cómplice). También estudió a fondo los problemas que afectaron a Japón en los años noventa. Desde un punto de vista intelectual, nadie estaba más preparado para enfrentarse al desastre en el que estábamos sumidos.

Sin embargo, a medida que la crisis ha ido desarrollándose, la Reserva Federal de Bernanke ha tenido serios problemas para influir en los mercados financieros o en el conjunto de la economía.

La Reserva Federal tiene dos grandes cometidos: gestionar los tipos de interés y, en caso de necesidad, inyectar liquidez a los bancos. Gestiona los tipos de interés comprando a los bancos bonos del Tesoro, aumentando de ese modo las reservas de esas instituciones, o vendiéndoselos, reduciendo de ese modo sus reservas. Inyecta liquidez a un banco determinado en momentos de necesidad prestándole dinero directamente. Desde el inicio de la crisis, ha recurrido a estas herramientas de un modo agresivo. La Reserva Federal ha rebajado el tipo de los fondos de la Reserva Federal —el tipo diario al que los bancos se prestan dinero entre sí, el instrumento habitual de la política económica— del 5,25 por 100 en vísperas de la crisis a un 1 por 100 en el momento de escribir estas líneas. Los «préstamos totales de la Reserva Federal a instituciones depositarias», una medida de préstamo directo, han pasado de una cifra cercana a cero antes de la crisis a superar los 400.000 millones de dólares.

En una época normal, estos movimientos habrían facilitado la obtención de créditos. Un descenso del tipo de interés de la Reserva Federal suele traducirse en una reducción de los tipos de interés en todo el espectro de la economía: una reducción del tipo de interés en el crédito comercial, una reducción del tipo de interés en los préstamos entre empresas y una reducción de los tipos de interés hipotecarios. Además, históricamente, el préstamo a los bancos se ha bastado para remediar la falta de liquidez en el sistema financiero. Pero no corren tiempos normales y, en este caso, los precedentes históricos no son aplicables.

La falta de influencia de la Reserva Federal es mucho más evidente con los prestamistas más dudosos. Obviamente, hoy ya no se contratan hipotecas de alto riesgo, lo que ha echado del mercado a todo un grupo de posibles compradores de casas. Los negocios sin una buena calificación en términos de crédito pagan hoy unos tipos de interés sobre los préstamos a corto plazo superiores a los que se pagaban antes de la crisis, a pesar de que los tipos de interés de la Reserva Federal han caído más de cuatro puntos porcentuales. El tipo de interés de las acciones de una compañía con la calificación Baa superaban, en el momento de escribir este libro, el 9 por 100; antes de la crisis, era del 6,5 por 100. En general, los tipos de interés importantes a la hora de tomar decisiones que estén relacionadas con el gasto o la inversión han subido o, cuando menos, no han bajado, a pesar del empeño de la Reserva Federal porque así ocurriera.

Incluso quienes contrataron hipotecas de bajo riesgo se han visto afectados: el tipo de interés para las hipotecas a treinta años es aproximadamente el mismo que en el verano de 2007. Ello se debe a que la crisis del sistema financiero prácticamente ha expulsado del mercado a las agencias hipotecarias privadas. Hoy, solamente siguen en activo Fannie Mae y Freddie Mac, las agencias de préstamo amparadas por el gobierno. Y Fannie y Freddie también se vieron en apuros: no habían concedido tantas hipotecas malas como el sector privado, pero sí algunas, y su base de capital era muy pequeña. En septiembre de 2008, el gobierno federal asumió el control de Fannie y Freddie, una medida que debería haber disipado en parte las dudas sobre sus deudas y reducido asimismo los tipos de interés hipotecarios. No obstante, la Administración Bush insistió en negar que la deuda de Fannie y Freddie estuviera respaldada por el gobierno de Estados Unidos de modo que, incluso después de la nacionalización, siguieron teniendo problemas para captar fondos.

¿Y qué hay de todo el dinero que la Reserva Federal prestó a los bancos? Probablemente ayudó, pero no tanto como cabría haber esperado, porque los bancos convencionales no están en el epicentro de la crisis. Veamos un ejemplo: si los productos *auction-rate security* hubieran formado parte del sistema bancario convencional, sus emisores habrían podido acogerse a los préstamos de la Reserva Federal cuando la cifra de inversores privados que se presentara a las subastas fuera baja; ello habría permitido celebrar las subastas y el sector no se habría hundido. Pero como no formaban parte de los bancos convencionales, las subastas no pudieron celebrarse y el sector se vino abajo, y nada habría podido detener el proceso por más dinero que la Reserva Federal hubiera prestado a Citibank o al Bank of America.

La Reserva Federal se vio presidiendo una trampa de liquidez semejante a la que se había producido en Japón, en la que la política monetaria convencional había perdido toda su influencia sobre la economía real. Así es: aunque la Reserva Federal no había reducido los tipos de interés hasta el 0 por 100, apenas había motivos para pensar que decretar una bajada de un punto pudiera tener una gran incidencia.

¿Qué más podía hacer la Reserva Federal? En 2004, en uno de sus textos académicos, Bernanke había afirmado que la política monetaria podía ser eficaz, incluso en una trampa de liquidez, si se estaba dispuesto a «alterar la composición del balance del banco central». En lugar de trabajar únicamente con bonos del Tesoro y con préstamos a bancos convencionales, la Reserva Federal podía prestar dinero a otros actores: bancos de inversión, fondos mutuos e incluso a instituciones no financieras. Durante 2008, la Reserva Federal presentó una serie de «programas» especiales de préstamo precisamente con ese fin: TSLF, PDCF... En octubre de 2008, la Reserva Federal anunció que empezaría también a comprar títulos comerciales, para asumir los préstamos que el sistema financiero privado no quería o no podía hacer.

En el momento de escribir estas líneas, cabe todavía la posibilidad de que estos programas acaben dando sus frutos. Con todo, es preciso reconocer que, hasta la fecha, sus efectos han sido decepcionantes. ¿Por qué? A mi entender, nos encontramos ante un problema de sustitución y de tamaño. Cuando la Reserva Federal actúa con el fin de incrementar las reservas de los bancos, hace algo que ninguna otra institución puede hacer: solamente la Reserva Federal puede crear base monetaria, que se puede emplear como dinero en circulación o conservarla en forma de reservas. Además, sus actuaciones tienden a ser de consideración si las comparamos con el tipo de activos que están implicados, ya que la base monetaria es de «solamente» 800.000 millones de dólares. Cuando la Reserva Federal intenta apoyar el mercado crediticio en un sentido más amplio, por su parte, se comporta como un actor privado más —es decir, que el crédito que inyecta en el sistema podría verse en parte compensado por las retiradas de fondos—, al tiempo que intenta manejar una bestia mucho mayor, la de un mercado crediticio valorado en 50 billones de dólares.

Otro de los problemas de la Reserva Federal de Bernanke es que, una y otra vez, ha ido por detrás de los acontecimientos. La crisis financiera está en constante evolución y poca gente, incluidos los chicos listos que trabajan en la Reserva Federal, sabe qué sucederá a continuación. Y eso me lleva a ocuparme de la dimensión internacional de la crisis.

LA MADRE DE TODAS LAS CRISIS DE DIVISAS

Después de las crisis financieras de 1997 y 1998, los gobiernos de los países afectados intentaron protegerse contra un episodio similar. Evitaron los préstamos extranjeros que los habían hecho ser vulnerables a una interrupción de la financiación extranjera, acumularon fondos en dólares y euros que habían de protegerlos, en principio, de cualquier situación de emergencia que se planteara en el futuro y la sabiduría popular afirmaba que los «mercados emergentes», como los de Brasil, Rusia, la India, China o los de un puñado de países más pequeños entre los que estaban las víctimas de la crisis de 1997, por fin se habían «separado» de Estados Unidos y podían seguir creciendo a pesar del caos que vivía el país. «La separación no es ningún mito —aseguraba *The Economist* a sus lectores en marzo—. De hecho, podría ser la salvación para la economía mundial.»

Por desgracia, no parece que vaya a ser así. Al contrario, sostiene Stephen Jen, el principal estratega monetario de Morgan Stanley, el «difícil aterrizaje» de los mercados emergentes podría convertirse en el «segundo epicentro» de la crisis global (los mercados financieros estadounidenses fueron el primero).

¿Qué sucedió? Junto con el crecimiento del sistema bancario en la sombra, el sistema financiero experimentó, durante los últimos quince años, otra transformación en su carácter, ocurrida fundamentalmente después de la crisis asiática; a saber, el auge de la globalización financiera, que permitió a inversores de cada país hacerse con grandes cantidades de acciones en otros países. En 1996, en vísperas de la crisis asiática, los activos que Estados Unidos poseía en el extranjero equivalían al 52 por 100 de su PNB, y las obligaciones, al 57 por 100. En 2007, estas cifras habían crecido hasta el 128 por 100 y el 145 por 100, respectivamente. Estados Unidos pertenecía cada vez más a la categoría de deudores netos, a pesar de que este neto no es tan impresionante como el extraordinario crecimiento que experimentaron los *holdings* transnacionales.

Como buena parte de lo que le sucedió al sistema financiero durante los últimos diez o veinte años, este cambio debía servir para reducir los riesgos: dado que buena parte de la riqueza de los inversores estadounidenses estaba en el extranjero, su exposición a una depresión en Estados Unidos era menor; del mismo modo, dado que buena parte de la riqueza de los inversores extranjeros estaba en Estados Unidos, su exposición a una depresión en el extranjero era menor. Sin embargo, el aumento de la globalización financiera se debía sobre todo a las inversiones de instituciones financieras muy apalancadas, que se dedicaban a hacer todo tipo de peligrosas aventuras transnacionales. Y cuando las cosas se torcieron en Estados Unidos, estas inversiones transnacionales se comportaron como lo que los economistas llaman «una correa de transmisión», lo que propició que una crisis que había empezado en el mercado inmobiliario estadounidense provocara réplicas en el extranjero. Mucha gente coincide en situar el inicio de la crisis en la quiebra de los *hedge funds* vinculados a un banco francés; en el otoño de 2008, los problemas ocasionados por las hipotecas en lugares como Florida habían acabado con el sistema bancario islandés.

Los mercados emergentes tenían un punto especialmente vulnerable: el denominado *carry trade*. Este comercio consiste en pedir préstamos en países con unos tipos de interés bajos, sobre todo pero no exclusivamente Japón, y prestarlo a su vez en lugares donde los tipos son más altos, como Brasil y Rusia. Era una actividad que daba unos grandes beneficios siempre y cuando las cosas fueran bien; pero, con el tiempo, las cosas salieron mal.

Al parecer, el desencadenante fue, el 15 de septiembre de 2008, la quiebra de Lehman Brothers, el banco de inversión. Cuando, en marzo de 2008, Bear Stearns, otro de los cinco grandes bancos de inversión originales, tuvo problemas, la Reserva Federal y el Tesoro intervinieron, no para rescatar a la institución, que acabó desapareciendo, sino para proteger las «contrapartidas» de la empresa, aquellas entidades o instituciones a las que debía dinero o con las que había cerrado acuerdos comerciales. Todo el mundo esperaba que Lehman recibiera el mismo trato, pero el Departamento del Tesoro decidió que las consecuencias de una quiebra de Lehman no serían tan graves y permitió su desaparición sin proteger en modo alguno sus contrapartidas.

Al cabo de pocos días, era evidente que aquella decisión había sido desastrosa: la confianza siguió cayendo, los precios de las acciones se desplomaron y los pocos canales de crédito que seguían abiertos se secaron. La decisión de nacionalizar pocos días después AIG, el gigante asegurador, no sirvió para ahuyentar el pánico.

Y una de las bajas que se cobró esta nueva ronda de pánicos fue el *carry trade*. El canal por el que llegaban los fondos desde Japón y demás países con unos tipos de interés bajos se cerró, lo que provocó una sucesión de efectos más y más graves cada día que pasaba y que recordaban demasiado a lo ocurrido durante la crisis de 1997. Como el capital ya no salía de Japón, la cotización del yen se disparó; como el capital ya no llegaba a los mercados emergentes, la cotización de las divisas de esos mercados emergentes se hundió. Todo esto acarreó grandes pérdidas de capitales a todo aquel que hubiera pedido un préstamo en una divisa y estuviera prestando dinero en otra. En algunos casos, supuso que los *hedge funds* y el sector de los *hedge funds*, que había aguantado el golpe mejor de lo previsto hasta la quiebra de Lehman Brothers, empezaran a contraerse rápidamente. En otros, provocó que algunas empresas de mercados emergentes que habían contraído préstamos en el extranjero a un tipo de interés bajo tuvieran que hacer frente de improviso a grandes pérdidas.

Que el sector privado viviera ajeno a estas amenazas desactivó todas las medidas que los gobiernos de los países con mercados emergentes habían tomado para protegerse contra una nueva crisis. En Rusia, por ejemplo, los bancos y las empresas se habían lanzado a buscar préstamos en el extranjero porque los tipos de interés eran ahí inferiores a los del rublo. Así, mientras el gobierno ruso acumulaba una cantidad impresionante de divisas, 560.000 millones de dólares en total, las empresas y los bancos rusos estaban contrayendo unas deudas igualmente impresionantes con el extranjero, por valor de 460.000 millones de dólares. De repente, estas empresas y bancos comprobaron que sus líneas de crédito se habían cerrado, y que el valor en rublos de sus deudas se disparaba. Nadie estaba a salvo: por ejemplo, aunque algunos de los bancos más importantes de Brasil habían evitado exponerse excesivamente a las operaciones en el extranjero, la poca cautela de sus clientes domésticos los puso en aprietos.

Todo se parecía demasiado a las crisis de divisas anteriores: a la de Indonesia en 1997 o a la de Argentina en 2002. Sin embargo, en este caso, la crisis era mucho mayor. Sin lugar a dudas, nos encontramos ante la madre de todas las crisis de divisas, y constituye un desastre nunca visto para el sistema financiero mundial.

UNA DEPRESIÓN GLOBAL

Este capítulo ha abordado, principalmente, los aspectos financieros de la crisis. ¿Qué supone todo esto para la «economía real», para la economía de los puestos de trabajo, los salarios y la producción? Nada bueno.

Estados Unidos, Gran Bretaña, España y varios países más probablemente habrían sufrido recesiones cuando hubiera estallado su burbuja inmobiliaria, aun cuando el sistema financiero no se hubiera venido abajo. La caída del precio de la vivienda tiene un efecto negativo directo sobre el empleo por el descenso de la construcción, y suele llevar también al consumidor a reducir su gasto, porque los consumidores se creen más pobres y no pueden acceder a préstamos con segunda hipoteca; todas estas consecuencias negativas tienen un efecto multiplicador cuando el aumento del desempleo provoca un nuevo descenso del consumo. Dicho esto, la economía estadounidense aguantó bastante bien en un primer momento el estallido de la burbuja inmobiliaria, gracias sobre todo al aumento de las exportaciones a causa de la debilidad del dólar, lo que compensaba la caída en el sector de la construcción.

Sin embargo, es indudable que la quiebra financiera ha convertido lo que podría haber sido una recesión más —el índice de desempleo estadounidense empezó a subir a finales de 2007, pero este aumento fue moderado hasta septiembre de 2008— en algo mucho pero que mucho peor. La intensificación de las crisis crediticias después de la quiebra de Lehman Brothers, la crisis repentina en los mercados emergentes o la caída de la confianza de los consumidores al tiempo que el caos financiero llegaba a la primera página de los periódicos son factores que señalan que nos encontramos ante la peor recesión que ha vivido Estados Unidos, y el mundo en su conjunto, desde principios de los años ochenta. Y muchos economistas respirarán tranquilos si la cosa se queda ahí.

Los que es realmente preocupante es la pérdida de influencia de la política. La recesión de 1981-1982, que hizo que la tasa de desempleo superara el 10 por 100, fue terrible, pero también fue fruto de una decisión más o menos deliberada: la Reserva Federal optó por subir el precio del dinero para superar la inflación y, en cuanto el presidente de la Reserva Federal, Paul Volcker, decidió que la economía había sufrido bastante, destensó la cuerda y la economía se puso de nuevo en marcha. De la devastación económica se pasó, a una velocidad sorprendente, al «amanece en Estados Unidos».

Esta vez, sin embargo, la economía se ha estancado a pesar de todos los esfuerzos de los políticos por volver a ponerla en marcha. Esta demostración de impotencia de la política recuerda a lo sucedido en Japón en los años noventa, pero también nos devuelve a la memoria lo sucedido en los años treinta. No obstante, todavía no estamos en una depresión y, a pesar de los pesares, no creo que vayamos a vivir una (aunque no estoy tan seguro de ello como me gustaría). Pero sí estamos sumidos de lleno en el reino de la economía de la depresión.

10

El retorno de la economía de la depresión

LA ECONOMÍA MUNDIAL NO SE ENCUENTRA en depresión: probablemente no experimentará ninguna depresión en un plazo de tiempo corto. Pero aunque la depresión en sentido propio no ha vuelto, la economía de la depresión —los tipos de problemas que caracterizaron buena parte de la economía mundial en los años treinta, pero que no se han visto desde entonces— se ha instalado de una forma pasmosa. Hace cinco años era difícil que alguien pensara que los países modernos se verían obligados a soportar recesiones apabullantes por temor a los especuladores monetarios; que un gran país avanzado podría verse con persistencia incapaz de generar el gasto suficiente para mantener el empleo de sus trabajadores y de sus fábricas; que incluso la Reserva Federal se preocuparía por su capacidad para contener un pánico del mercado financiero. La economía mundial se ha convertido en un lugar mucho más peligroso de lo que imaginábamos.

¿Cómo se ha convertido en peligroso el mundo? O lo que es más importante, ¿cómo podemos hacerlo más seguro? En este libro he contado muchas historias, ahora es tiempo de intentar extraer algunas moralejas.

¿QUÉ ES LA ECONOMÍA DE LA DEPRESIÓN?

¿Qué quiere decir que la economía de la depresión ha vuelto? Esencialmente significa que, por primera vez en dos generaciones, los fallos de la economía por el lado de la demanda —gasto privado insuficiente para utilizar la capacidad productiva disponible— se han convertido en la limitación, clara y actual, de la prosperidad para una gran parte del mundo.

Nosotros —me refiero a los economistas, pero también a los responsables de la política y al público culto en general— no estábamos preparados para esto. El conjunto específico de ideas absurdas que ha reivindicado el nombre de «economía de oferta» es una doctrina excéntrica, que tendría poca influencia si no apelara a los prejuicios de los editores y de los ricos; pero durante las últimas décadas ha habido una continua tendencia a desplazar, en el pensamiento económico, el énfasis que se ponía en el lado de la demanda, trasladándolo al lado de la oferta de la economía.

Esta tendencia fue en parte el resultado de discusiones teóricas dentro de la economía, las cuales —como suele ocurrir a menudo— trascendieron gradualmente, en forma algo mutilada, para introducirse en un discurso más amplio. En pocas palabras, la causa de las discusiones teóricas era ésta: en principio, los déficits de la demanda total sólo se remediarían por sí mismos si los salarios y los precios disminuyeran rápidamente ante el desempleo. En la historia de la cooperativa de canguros que padece una depresión, la única manera de que la situación hubiera podido resolverse por sí misma habría sido que disminuyera el precio de una hora de canguro en términos de cupones, de manera que el poder adquisitivo de la oferta de cupones existente habría aumentado, y la cooperativa habría vuelto al «pleno empleo» sin otra acción por parte de su dirección. En realidad, esto no sucede, o si sucede, requiere un tiempo muy largo; pero los economistas han sido incapaces de ponerse de acuerdo sobre la causa exacta. El resultado ha sido una serie de amargas batallas académicas que han hecho de todo el tema de las recesiones y de cómo se producen una especie de campo de minas profesional, que pocos economistas se arriesgan a pisar; y el público ha llegado naturalmente a la conclusión de que esos economistas no comprenden las recesiones, o que los remedios por el lado de la demanda se han desacreditado. La verdad es que la nueva macroeconomía de la demanda, aunque de estilo antiguo, tiene mucho que ofrecer en la difícil situación que estamos atravesando: pero sus defensores carecen de toda convicción, mientras que sus críticos están llenos de apasionamiento.

Paradójicamente, si la debilidad teórica de la economía de la demanda fuera una razón no estaríamos preparados para la vuelta de los temas relacionados con la depresión: sus éxitos prácticos son otros. A lo largo de las décadas en las que los economistas han discutido si la política monetaria puede utilizarse realmente para sacar a una economía de una recesión, los bancos centrales fueron por delante y la llevaron a la práctica; y lo hicieron con tanta eficacia que la idea de una depresión económica prolongada debida a una demanda insuficiente se convirtió en algo inverosímil. Seguramente la Reserva Federal y sus homólogos en otros países podrían reducir siempre los tipos de interés en la medida suficiente para mantener el gasto a un nivel elevado; excepto a muy corto plazo, pues la única limitación para los resultados económicos era la capacidad de una economía para producir, esto es, el lado de la oferta.

Incluso ahora, muchos economistas consideran todavía las recesiones como un tema menor y su estudio como un asunto ligeramente vergonzoso; el trabajo de moda ha estado totalmente relacionado con el progreso tecnológico y el crecimiento a largo plazo. Éstas son buenas e importantes cuestiones, y a largo plazo son las que realmente importan; pero como señaló Keynes, a largo plazo todos estaremos muertos.

Entretanto, a corto plazo el mundo está dando tumbos de crisis en crisis, y todas ellas implican decisivamente el problema de generar una demanda suficiente. Japón se está encontrando con que las políticas monetarias y fiscales convencionales no son suficientes. Si esto le puede pasar a Japón, ¿cómo podemos estar seguros de que la economía europea o incluso la todavía próspera economía de Estados Unidos no se vea atrapada en la misma trampa? México,

Tailandia, Malasia, Indonesia, Corea, Brasil: uno tras otro, los países en vías de desarrollo han experimentado una recesión que por lo menos temporalmente anula años de progreso económico, y se encuentran con que las respuestas políticas convencionales no hacen más que empeorar las cosas. Una vez más, la pregunta de cómo mantener la demanda adecuada para hacer uso de la capacidad de la economía se ha convertido en una pregunta decisiva. La economía de la depresión ha regresado.

¿QUÉ HACER? CÓMO ENFRENTARSE A UNA EMERGENCIA

Lo que el mundo necesita ahora mismo es una operación de rescate. El sistema global de crédito se encuentra en un estado de parálisis y, mientras escribo estas líneas, la depresión global está cogiendo impulso. Es fundamental resolver las debilidades que propiciaron esta crisis, pero eso es algo que puede esperar. Ante todo, tenemos que enfrentarnos a los peligros evidentes que nos amenazan. Para ello, los políticos del mundo han de hacer dos cosas: conseguir que el crédito vuelva a fluir y fomentar el gasto.

La primera tarea es la más ardua de las dos, pero hay que acometerla y hacerlo cuanto antes. Prácticamente a diario tenemos noticias de algún nuevo desastre debido a la congelación del crédito. Mientras redactaba el esbozo de este capítulo, por ejemplo, se nos anunciaba la caída de las letras de crédito, el principal instrumento de financiación para el comercio mundial. De repente, los compradores de importaciones, sobre todo en los países en vías de desarrollo, no pueden cumplir con sus compromisos y los barcos están parados: el índice seco del Báltico, un indicador muy utilizado para medir los costes de envío, ha caído este año un 89 por 100.

La asfixia del crédito se debe a la combinación de una pérdida de confianza y al descenso de capitales en las instituciones financieras. La gente y las instituciones, incluidas las instituciones financieras, no quieren hacer negocios a menos que dispongan del capital suficiente para cumplir sus promesas, y la crisis ha privado de capital a todas las partes implicadas.

La solución obvia consiste en inyectar más capital. De hecho, ésa es una respuesta habitual en las crisis financieras. En 1933, la Administración Roosevelt empleó la Empresa de Financiación de la Reconstrucción para recapitalizar los bancos comprando acciones preferentes —acciones con un mayor peso que las acciones comunes a la hora de cobrar dividendos—; cuando Suecia experimentó, a principios de los años noventa, una crisis financiera, el gobierno intervino y proporcionó a los bancos una inyección adicional de capital equivalente al 4 por 100 del PNB del país —unos 600.000 millones de dólares de la actualidad— a cambio de convertirse en copropietario; cuando Japón salió al rescate de sus bancos en 1998, compró más de 500.000 millones de dólares en acciones preferentes, el equivalente en términos de PNB de una inyección de capital de 2 billones de dólares en Estados Unidos. En cada uno de estos casos, la llegada de capitales sirvió para que los bancos recuperaran la capacidad para conceder préstamos y se descongelaran los mercados crediticios.

En la actualidad, Estados Unidos y otras economías avanzadas han puesto en marcha un plan de rescate financiero similar que, sin embargo, ha tardado en materializarse, a causa en parte del sesgo ideológico de la Administración Bush. En un primer momento, después de la quiebra de Lehman Brothers, el Departamento del Tesoro propuso comprar a bancos y demás instituciones financieras hasta 700.000 millones de dólares en activos tóxicos. No obstante, nunca quedó claro cómo iba a ayudar esta medida a la situación. (Si el Tesoro pagaba el precio de mercado, poco estaría ayudando a los bancos en términos de capital, mientras que si pagaba un precio por encima del de mercado, se le acusaría de estar despilfarrando el dinero de los contribuyentes.) Da lo mismo: después de tres semanas de vacilaciones, Estados Unidos siguió el camino que habían emprendido primero Gran Bretaña y posteriormente los países de la Europa continental, y convirtió el proyecto en un programa de recapitalización.

Aun así, no parece que esto vaya a bastar para revertir la situación, al menos por tres razones. En primer lugar, incluso si la totalidad de los 700.000 millones de dólares se destinan a la recapitalización (por el momento, sólo se ha empleado con ese fin una parte), seguirá siendo una cifra pequeña en relación con el PNB si la comparamos con el rescate bancario que llevó a cabo el gobierno japonés (y es discutible que la gravedad de la crisis financiera en Estados Unidos y Europa pueda equipararse hoy a la que vivió Japón). En segundo lugar, sigue sin saberse qué parte de esa cantidad se destinará al plan de rescate del sistema bancario en la sombra, el núcleo del problema. En tercer lugar, no está claro que los bancos vayan a estar dispuestos a mover los fondos en lugar de conservarlos para sí (un problema al que ya tuvo que enfrentarse el New Deal hace setenta y cinco años).

Me atrevería a pronosticar que la recapitalización tendrá que acabar siendo mayor y abarcar a más instituciones, y que, en última instancia, éstas deberán admitir, a su vez, un mayor grado de control por parte del gobierno —en efecto, la situación se asemejará a una nacionalización temporal total de una parte importante del sistema financiero. Entendámonos: no se trata de un objetivo a largo plazo, ni de apoderarse de las altas esferas económicas; habrá que volver a privatizar las finanzas en cuanto sea seguro hacerlo, del mismo modo que Suecia devolvió la banca al sector privado después de aquel sensacional rescate de principios de los años noventa. Por ahora, sin embargo, es importante hacer que el crédito vuelva a fluir como sea, sin dejar que las ataduras ideológicas limiten nuestra actuación. No habría nada peor que no hacer lo que es preciso porque salvar el sistema financiero podría parecer una decisión «socialista».

Otro tanto podemos decir de otro de los enfoques que se pueden adoptar para resolver la contracción del crédito: hay que hacer que, durante un tiempo, la Reserva Federal preste dinero directamente al sector no financiero. La predisposición de la Reserva Federal a comprar instrumentos negociables es un gran paso en este sentido, pero es probable que haya que seguir avanzando en esa dirección.

Es preciso coordinar todas estas actuaciones con otros países desarrollados, y hacerlo a causa de la globalización de las finanzas, un fenómeno que hemos descrito en el capítulo 9. Una de las consecuencias positivas del rescate estadounidense del sistema financiero es que puede servir para facilitar el acceso al crédito en Europa; una de las consecuencias positivas de los planes de rescate europeos es que pueden servir para liberar el crédito al otro lado del Atlántico. Así las cosas, todos deberíamos estar haciendo más o menos lo mismo, todos estamos en el mismo barco.

Una cosa más: el contagio de la crisis financiera a los mercados emergentes hace que la solución a la crisis pase, en parte, por idear un plan de rescate global para los países en vías de desarrollo. Al igual que sucede con la recapitalización, en el momento de escribir estas páginas ya se habían tomado algunas medidas en este sentido: el Fondo Monetario Internacional estaba ofreciendo préstamos a países con economías con problemas, como Ucrania, sin caer tanto en el discurso moralista ni insistir tampoco en la necesidad de unas políticas austeras, como sí hicieron durante la crisis asiática de los años noventa. Entretanto, la Reserva Federal ha puesto a disposición de los bancos centrales de varios mercados emergentes líneas de cambio, y les ha ofrecido la posibilidad de tomar prestado tanto dinero como les sea necesario. Al igual que sucede con la recapitalización, todas estas iniciativas parecen ir, por el momento, en la buena dirección, pero se han revelado insuficientes, así que habrá que tomar más medidas.

Aun cuando el rescate del sistema financiero empiece a devolver a la vida a los mercados crediticios, seguiremos enfrentándonos a una depresión global que está cogiendo impulso. ¿Qué debemos hacer al respecto? La respuesta es, casi con total seguridad, recuperar los viejos estímulos fiscales keynesianos.

Estados Unidos ya recurrió a principios de 2008 a los estímulos fiscales: tanto la Administración Bush como la mayoría demócrata en la Cámara de Representantes calificaron el plan como un programa para ayudar a poner en marcha de nuevo la economía. Con todo, sus frutos fueron, a decir verdad, decepcionantes. En primer lugar, el estímulo era escaso, y solamente representaba un 1 por 100 del PNB. El siguiente plan debería ser mucho ambicioso; por ejemplo, del 4 por 100 del PNB. En segundo lugar, la mayoría del dinero de aquel primer paquete cobró la forma de devoluciones fiscales, que en muchos casos supusieron un ahorro para el contribuyente en lugar de un gasto del ejecutivo. El nuevo plan debería centrarse en mantener y ampliar el gasto del gobierno: mantenerlo ofreciendo ayuda a gobiernos federales y locales, y ampliarlo destinando fondos a carreteras, puentes y otras infraestructuras.

La objeción más frecuente que se hace al encuentro del gasto público en tanto que estímulo económico es que tarda demasiado en dar sus frutos y que el aumento de la demanda llega cuando la crisis ya ha terminado. Sin embargo, no podemos decir que, a día de hoy, ésta sea una de nuestras mayores preocupaciones: es muy difícil asistir a una rápida recuperación económica, a menos que una nueva burbuja sustituya a la inmobiliaria. (Un titular del periódico satírico *The Onion* recogía perfectamente el problema: «Un país asolado por la recesión pide una nueva burbuja en la que invertir».) Mientras el gasto público se mantenga a un ritmo razonable, debería haber tiempo de sobras para que resulte útil, y esta solución presenta dos grandes ventajas, si la comparamos con las amnistías fiscales. Por un lado, el dinero se gastaría; por otro lado, se crearía algo de valor (por ejemplo, unos puentes que no se hundieran).

Algunos lectores podrían objetar que ofrecer un estímulo fiscal por medio del gasto en obras públicas es lo mismo que hizo Japón en los años noventa, y así es. Sin embargo, incluso en Japón, el gasto público posiblemente evitó que una economía débil cayera en una depresión real. Además, hay motivos para creer que estimular la economía por medio del gasto público funcionaría en Estados Unidos mejor de lo que funcionó en Japón, a condición de que se haga cuanto antes. No en vano, todavía no hemos caído en la trampa de las expectativas deflacionistas en la que cayó Japón después de años de unas políticas demasiado tibias. Y Japón esperó demasiado a recapitalizar su sistema bancario, un error que, afortunadamente, nosotros no repetiremos.

Lo importante aquí es que debemos encarar la crisis actual convencidos de que haremos lo que sea necesario para dar la vuelta a la situación; si no basta con lo que se ha hecho hasta ahora, habrá que hacer más y hacer las cosas de otro modo, hasta que el crédito empiece a fluir y la economía real comience a recuperarse.

Y cuando la recuperación se haya puesto en marcha, habrá llegado el momento de tomar medidas preventivas: reformar el sistema para que la crisis no vuelva a estallar.

REFORMA FINANCIERA

«Tenemos problemas en el magneto», dijo John Maynard Keynes al principio de la Gran Depresión: la mayor parte del motor económico estaba en buen estado, pero un componente vital, el sistema financiero, no funcionaba. También dijo: «Estamos sumidos en un desastre colosal; la hemos pifiado a los mandos de una máquina delicada, cuyo funcionamiento no acertamos a comprender». Ambas sentencias son tan ciertas hoy como ayer.

¿Cómo llegamos a este nuevo desastre colosal? Tras el fin de la Gran Depresión, rediseñamos la máquina de modo que *pudiéramos* comprenderla, al menos lo suficiente para evitar grandes catástrofes. Los bancos, las piezas del sistema que tan mal habían funcionado en los años treinta, pasaron a estar sujetos a una estrecha regulación y respaldados por una red de seguridad resistente. Al mismo tiempo, también se limitaron los movimientos internacionales de capital, que habían tenido un papel negativo en los años treinta. El sistema financiero era algo más aburrido, pero también mucho más seguro.

Sin embargo, las cosas volvieron a ponerse interesantes y peligrosas. El aumento de los flujos internacionales de capital preparó el terreno para la devastadora crisis monetaria de los años noventa y para la crisis financiera globalizada de 2008. El crecimiento del sistema bancario en la sombra no se vio acompañado de la extensión correspondiente de las regulaciones, preparó el terreno para los recientes pánicos bancarios a gran escala. En estos pánicos no ha habido muchedumbres histéricas ante las puertas cerradas de las entidades bancarias. Aunque esta vez el frenesí se ha materializado en la presión nerviosa del botón del ratón, no por ello los pánicos han tenido un efecto menos devastador del que tuvieron en el pasado.

Es evidente que vamos a tener que aprendernos de nuevo las lecciones que la Gran Depresión enseñó a nuestros abuelos. No intentaré exponer aquí los detalles de un nuevo régimen regulador, pero ha de quedar claro el nuevo principio básico: todo aquello que deba ser rescatado durante una crisis financiera porque desempeña un papel esencial en el mecanismo financiero debe estar sujeto a regulación cuando no hay una crisis, para evitar así que incurra en unos riesgos excesivos. Desde los años treinta, se ha exigido a los bancos comerciales que dispusieran del capital adecuado, que tuvieran unas reservas de activos líquidos que pudieran convertir rápidamente en dinero y que limitaran el tipo de inversiones que hacían, todo ello a cambio de garantías federales para cuando las cosas fueran mal. Después de haber visto que una gran variedad de instituciones no bancarias ha desencadenado lo que ha acabado siendo una crisis bancaria, hay que someter a muchos otros elementos del sistema a una regulación similar.

También habrá que reflexionar a fondo sobre cómo enfrentarse a la globalización financiera. Después de la crisis asiática de los años noventa, hubo quien propuso restricciones a largo plazo en los flujos internacionales de capital, y no sólo someterlos a controles temporales en tiempos de crisis. En su mayoría, estos llamamientos se desestimaron en favor de una estrategia destinada a dotarse de unas grandes reservas de divisas extranjeras que habían de servir para sortear futuras crisis. Hoy parece que esta estrategia no ha funcionado. Para países como Brasil y Corea, debe de ser una pesadilla: después de todo lo que han hecho, vuelven a estar inmersos en la crisis que ya vivieron en los años noventa. Todavía no está claro cómo ha de ser la nueva respuesta que demos, pero es evidente que la globalización financiera ha acabado siendo más peligrosa de lo que nos figuramos.

La fuerza de las ideas

Como habrán intuido los lectores, no sólo creo que estamos en una nueva era de la economía de la depresión, sino también que

John Maynard Keynes, el economista que comprendió la Gran Depresión, es hoy más relevante que nunca. Keynes cerraba su obra maestra, *Teoría general de la ocupación, el interés y el dinero*, con una célebre reflexión sobre la importancia de las ideas económicas: «Tarde o temprano, son las ideas, y no los intereses creados, lo que resulta peligroso, para bien o para mal».

Podemos discutir si siempre es así pero, en tiempos como los que vivimos, no cabe duda de que sí. La sentencia económica por antonomasia reza: «No hay comidas gratis»; viene a decir que los recursos son limitados, que para tener más cantidad de una cosa debemos aceptar menos de otra, que nada llega sin esfuerzo. La economía de la depresión, sin embargo, es el estudio de las situaciones en las que *sí* hay comidas que salen gratis, a condición de que encontremos la manera de meterles mano, porque hay recursos que no están siendo empleados y que se podrían poner a trabajar. En el mundo de Keynes —y en el nuestro—, lo que realmente escaseaba no eran los recursos, ni siquiera la virtud, sino la comprensión.

Sin embargo, no alcanzaremos el grado de comprensión necesario a menos que estemos dispuestos a reflexionar claramente sobre nuestros problemas y a seguir nuestros pensamientos allá donde nos lleven. Hay quien dice que nuestros problemas económicos son estructurales y que no tienen solución a corto plazo, pero yo creo que los únicos obstáculos estructurales importantes para la prosperidad del mundo son las doctrinas obsoletas que pueblan la cabeza de los hombres.

Índice alfabético

Índice